未来のルーシー

人間は動物にも植物にもなれる

中沢新一
山極寿一

The Future LUCY

Shinichi Nakazawa
×
Juichi Yamagiwa

青土社

未来のルーシー　目次

未来のルーシー　人間は動物にも植物にもなれる

はじめに

中沢新一

山極さんと私はほぼ同い歳である。同じ時代の空気を吸い、同じ時代の出来事に遭遇してきた。東京大学の入試が中止となった混乱の一九六九年の一月に、私は京都大学理学部を受験した。山極さんの受験はその翌年である。二人とも霊長類学を目指していた。だから私たちはその頃かなりな近距離まで接近していたことになるが、私が受験に失敗したせいで、二人が同窓生となる機会は逸してしまった。その後山極さんは順調に霊長類学のホープとしての成長をとげ、多くの学問上の成果を上げとうとう京都大学の総長にまでなった。いっぽう私はといえばまことに紆余曲折の人生で、生物学から宗教学へさらには人類学へと転身をとげながら、人には説明しにくい自分のイデアを追い続けてここまでやってきた。

その二人が実現しなかった幻の出会いからほぼ五〇年後にはじめて出会って、対談をしたのである。話し始めて私はすぐに気がついた。山極さんと私は、ほとんど同一の思想体の別々の外見どうしなのであるということに。そのため私の考えはすぐに山極さんに通じたし、山極さんの考えも私になんの障害もなく伝わってきた。むろんゴリラ学体験から発する山極さんの思考の調性と人類学体験から発する私の思考の調性との違いはあっても、かえってそれがからみあってフーガのような趣を奏でるしだいであった。

山極さんと私の青春時代にはさまざまな形の「脱人間主義」の思想が花盛りであった。人間の中にいて人間を思考するのではなく、人間の外に出る試行を通じて「外から人間を考える」という思想が、新鮮な魅力をもって登場していたのである。構造主義などがその代表であるが、山極さんと私を共通に襲っていた時代の空気といえば、この「脱人間主義」の思想をまずまっさきにあげなければならない。私が霊長類学を最初目指していたのも、人間なるものをゴリラやチンパンジーの側から照らし出すことによって、人間という奇妙な生物をそのすぐ外側から観察し理解することが重要だと感じていたからであり、山極さんがこの学問を目指した動機も、たぶんそれに近いものだったと思われる。そういう意味で私たちは「人間を外から思考する」ことをめざす同一の思想体として、おたがいの人生を歩んできた（と私には思えた）。

二人の対話が当人たちも驚くほどスムーズに進んだのは、二人に共通するこの「脱人間主義」という思想の土台のせいであると私は思う。相手の話に合わせる必要などまったくなかった。対話はただ、潜伏しているものを一人が顕在化させると、もう一人は顕在化されたものに別の光を当てて影に隠れていた部分を見えるようにする、すると最初の一人はさらに別の場所に潜伏しているものにつないでいくだけで、するすると進行していくのであった。しかも奇妙なことに、私たちの語り合っている話題はひどく「現代的」でもあるのだった。数十年前に盛行した「脱人間主義」の思想は、いま「ポスト・ヒューマン」の思想と言われるものに姿を変えて、ＡＩのウルトラ的発達と地球温暖化による環境危機の現代によみがえりつつあり、私たちの対話はそっくりそのまま現代から未来へとつながる「意味ある対話」になることができている。

私の予感では二人の対話はまだまだ続いていきそうである。なにしろ同一の思想体に二つの別々の外見がそろっていて、潜伏下にある未発現の巨大な世界には顕在化されるのを待っているたくさんの主題が潜んでいるのを、私たちは感じるからである。

タイトルは『未来のルーシー』とした。「ルーシー」は一九七〇年代にエチオピアで発見されたオーストラロピテクス（アファール猿人、推定で三一八〜三二二万年前）の個体にあたえられた名前である。この猿人は直立二足歩行をおこない、類人猿に近い大きな脳容量をそなえており、さらには現代人につながる家族すら獲得されていたらしい。ビートルズのサイケデリックな名曲にちなんで「ルーシー」と名付けられたこの小柄な「女性」は、人類学史上もっとも有名な猿人となった。この猿人たちが進化を重ねてホモサピエンスにたどり着いた。したがって私たちは直接ではないにしても、象徴的な意味あいでこのルーシーの子孫であるとも言える。このルーシーの子孫たちの未来が開かれるか閉じられるかの、ぎりぎりの「とき」が迫っているというのが、現代である。私たちの対談は、いつもこのルーシーの憂いに満ちた眼差しに見つめられていた気がする。アンドロイド小説の祖であるヴィリエ・ド・リラダンの『未来のイヴ』から送られてくる信号も、このタイトルのなかには受け取られている。過去と未来からの遠い遠いまなざしを意識しなければ、私たちは現代のホモサピエンスを取り囲んでいる閉塞を突破することはできない、という意味を込めたタイトルである。

1　人類の自然

プロローグ

中沢　私には思い出深い一枚の写真があります。中学生か高校生の頃だったか、霊長類学の伊谷純一郎さんが高崎山でサルの群れに囲まれている写真が、たしか『朝日新聞』だったと思いますが、その一面に出たことがありました。本当に幸福そうな顔で、伊谷さんが森のなかで寝ているのです。そしてその周りをサルがおだやかな顔をして取り囲んでいる。その写真にものすごく衝撃を受けて、私はこういう学問をやりたいと思ったのです。そのとき受けた衝動をいまだに反芻しつづけていますが、今になってみると、自分がやってきた学問のすべてがそれに結びついているような気がします。

山極　サル学はもともと動物社会学でした。サルに限らず、動物の「社会」を研究する学問として出発したのです。最初はシカをやったり、ウサギをやったりしていたのですが、そのなかでサルが一番「社会」を感じられるものを持っているということに気がついた。一九四八年一二月三日のことです。

中沢　どういう日付ですか。

山極　伊谷さんと川村俊蔵さんが生物学者の今西錦司さんの半野生ウマの調査を手伝いに都井岬に行ったとき、途中で木の上を移動しているニホンザルの群れを見たのです。それで「これは面白い！」と、今西さんに伝えたら、「サルか！」となって、幸島に見に行って、「これだ！」ということになった。それが一二月三日なんです。それでこの日を日本サル学の出発の日としようと、伊谷さんが書いているのです。

このように、日本サル学は「社会学」として始まった。その方法論として今西さんがつねに言っていたのは、「お前はサルになってこい」「向こうの世界に行け」ということです。「サルは文字を知らないのだから、サルの生活をサルの言葉で書け」と。私も「ゴリラになってこい」と言われて（笑）。私も最初はニホンザルの研究をしていたのですが、サルの名前と顔を夢にまで見ました（笑）。

中沢　私がその伊谷さんの写真を見て感動していた頃、同じ時期に熱心にルソーを読んでいたのです。それでルソーの思想とその写真が結びついてしまったのです。

山極　伊谷さんもルソーを生涯の超えるべき目標としていましたからね。

中沢　『孤独な散歩者の夢想』でルソーは自分と周りの自然とが一体になって融け合う経験を書いていますが、このサル学者はものすごい幸福な人だなと私は感じました。それで京都大学で霊長類研究をやろうと思ったのですが、あいにく試験に落ちてしまった（笑）。

でもあの頃やりたいと思ったことと同じようなことをやっているんです、人類学者である今になっても。

人類の越境

自然と文化のハイブリッド

山極　中沢さんは「アースダイバー」というプロジェクトをずっとやられていますね。そのタイムスケールはどのくらいでしたか。

中沢　最大幅は二〇〇万年くらいですが、実際に土地の上に人類の記号類が乗せられるようになるのは三万年くらい前からです。

山極　中沢さんは人類学者だから記号にすごくこだわるのだと思うのですが、人類が熱帯雨林を出た六〇〇万年くらい前に遡るのも面白いと思います。六〇〇万年前には大地溝帯ができたりして、実は人間だけではなくアフリカの哺乳類にとっても転換期だったわけです。

中沢　あの光景を眺めていたやつらがいたと考えると、いつも感動します。

山極　そうですね。フランスの人類学者イブ・コパンの提唱した「イースト・サイド・ストーリー」は、正しくはないけれど完全に間違いでもないところがあります。例えば、大地溝帯によって気候の区分が変わり、東アフリカと西アフリカにまったく違う気候帯ができて植生が変わったことで、それまでずっと森林のなかで暮らしていた哺乳動物たちがサバンナに出て行かざるをえなくなりました。あの当時、サバンナゾウと森林ゾウに分かれたし、キリンとオカピも分かれました。このように、いろいろな哺乳類が大型化してサバンナに出て行きました。そしてそのとき森林性の特徴をサバンナ性に変えました。人類も森林から出て行ったわけですが、そのとき森林性の特徴をどう変えたのか、というのがわれわれ類人猿を研究している者にとって一番面白いテーマなのです。

中沢　私は「アースダイバー」の射程を第四期全体に広げていこうと思っています。特に日本列島に中心を置いていると、「海洋アースダイバー」というかたちに変わってくるのですが、今後はそちらのほうで展開しようと思っています。そうすると、日本列島、この海底のゴミを集めたようにしてアジアの端に形成されてくる列島に、遠くアフリカから来た人類が渡ってくる過程が射程に入ってくるのです。

山極さんはゴリラから始まる長いスパンの研究をされていますが、私は後期旧石器時代と呼ばれている時期の研究から入っています。人類学や考古学、特に認知考古学の研究が進んできた今になってみると、その境界を突破しなくてはいけないところに来ているということがよく自覚されます。ですから、山極さんがおっしゃりたいことはよくわかります。どうしても私の研究などは、インドにいた後期旧石器の人類が東南アジアのスンダランドへ入り、さらに北上を続けていった過程が中心になります。それに人類学ですから、どうしても記号ということが出てきます。実のところ、今回の特集〔『現代思想』「総特集＊人類学の時代」二〇一七年三月臨時増刊号〕のテーマ――人類（学）の自然――にも関係していますが、記号と自然過程は分けられるものではない、ということがだんだん鮮明になってきているのです。

特集内の論文のラインナップを見ていると、二〇年ほど前にフランスのブルーノ・ラトゥールという哲学者・人類学者が『虚構の「近代」――科学人類学は警告する』（新評論、原題の直訳は『われわれはかつて一度も近代であったことはない』）という本を出し、その本が次第に影響力を持つようになった時期の後に生まれてきた思考傾向を反映しています。その本では自然と文化を分割する非対称性の人類学ではなく、自然と文化が対称的に入れ子状態になったハイブリッドを基礎として考えていかなくてはいけないという提案がなされています。フィリップ・デスコラの世代の人類学者たちが考えていたことも大体同じです。

レヴィ＝ストロースなどが考えていた自然と文化という概念の組み立てだと、どうしても現実に合わないのですね。デスコラは南アメリカの先住民社会を調査しているうちに、先住民のやっていることを見ると、自然と文化という二元論を分析タームとして使えないということに気が付いた。つまり、自然が人間のなかに入り込み、文化が自然のなかに入り込んでハイブリッド状につくられてしまっている。例えば、アマゾンのジャングル自体が「手つかずの自然」などではなくて、一万数千年かかって人間がジャングルに手を入れてきた様子が見えてきた。しかも森の手入れのやり方を見てみると、いわゆるエコソフィア的な手の入れ方をしているので、われわれの目にはそれが実に自然に見えるのです。自然過程と文化過程を概念として分離して分析するといくつも不都合な状況が生じてしまう。自然と文化の分離自体がヨーロッパ近代の思考方法だったのではないかという反省が生まれて、今いろいろな思考の枠組みの組み換えが起こるようになりました。私は二〇一五年の「京都こころ会議」で、自然過程とホモ・サピエンスの認知過程をどうやってつないでいけばよいのかという話をしました（「『もの』と『こころ』の統一へ」『〈こころ〉はどこから来て、どこへ行くのか』岩波書店）。

私には山極さんのお仕事自体がそうしたハイブリッド状の構造をしているように見えるのです。人間のことを考えるのにゴリラやボノボやチンパンジーのことを考え、ホミニドの進化の問題を考えながら人間の家族の問題を分析していく。これは人類学や考古学が現在向かおうとしている方向と軌を一にしているという印象を私は持っています。

山極　確かに私の視点はあっちに行ったりこっちに行ったりしていますからね。

狩猟採集と農業

山極　今の中沢さんのお話で気がついたのは、いつの頃か人類が越境し始めたということです。生きものには自ら身体化した境界というものがあります。例えば先ほどの話だと、森林動物にとってはサバンナは別世界で、そこに境界があったわけです。あるいは川を渡れなければ川が、山を登れないなら山が、境界になった。それが地殻変動によって越えざるをえなくなったわけです。それがまずは越境のきっかけになっている。人類もそもそも最初は他の動物たちと同じように新しい環境を身体化していきました。しかし、そのうち認知によって越境し始めた。それが認知革命だと思います。自然物を人為的に頭のなかでつくり変え、シンボル化していく。あるいはそれを使って現実ではないものを伝達したりつくり出したりしていく過程が生じた。それがおそらく今中沢さんがやろうとしているところの最初の部分ではないかと思います。それが言わば逆になって、人間が自らつくり出したものがその意図を離れて人間に非常に大きな影響をもたらし始め、人間自身がつくり変えられようとしているのが現代だと思います。

そのあたりの力関係がどのように歴史的に動いていったのか。特に中沢さんがおっしゃった海や水は重要な問題です。勉強不足なので最近日本史を改めて読み返してみたのですが、網野善彦が言っていることはすごく面白いなと思いました。日本列島は昔は結構水浸しで、海や川を使った交易が非常に盛んでした。日本が農本国家である、つまり農業、特に水田で米をつくることが日本人のそもそもの生業活動だったと言われていますが、昔から日本人は交易を通じて非自足的な生活をしていたのではないかという話にすごく得心がいきました。あの発想は面白いですね。つまり、陸上交通の肥大化によって陸本位のイメージが一般化しているから、海に囲まれているところは孤立していて貧しい文化だと捉えられがちです。しかし逆に言えば、そこはいかようにでも交易ができる非常に豊かな場所だった可能性がある。そしてそちらのほうからまずは日本の文化がつくられた。だからこそ大陸とのつながりも非常に重要で、七、八世紀から一〇世紀くらいにかけて、とんでもない数の人が大陸から渡ってきた。そのことを日本の歴史のなかで考えなくてはいけない、という話がすごく面白いと思いました。

中沢 いわゆる縄文人がどういう人たちなのか、いろいろ研究が進んでいますが、私は（上部）旧石器時代の人たちと縄文の人たちは連続しているのだろうと思っています。旧石器人がどういう体質を持った人たちかというと、沖縄やアイヌの人たちとかなり近い体質だっただろうと思います。そこへ土器が入ってきて縄文が始まりますが、それは技術の問題に関わっています。

それを境に旧石器人は土器を持つ縄文人に変わっていくのですが、旧石器人は大変な移動をして列島に入ってきた人々です。それと同時にそこから出て行っている。長い縄文時代を通じて見ても、アメリカ大陸と深い関係を持っているでしょうし、実際アリューシャン列島が北の「海上の道」をつないでいます。そのためカリフォルニアの先住民の土器のなかには縄文土器とそっくりなものがあったり、仮面儀礼などが非常によく似ていて、この二つの相関性は昔から人類学ではよく考えられています。旧石器から縄文にかけて、海を伝っていろいろな交通が行われていたことは間違いないと思います。

それと米の問題があります。網野さんは日本史の学問的土台を引っくり返そうとして、ことさら日本史における米の存在感を小さく見積もろうとしました。ちょっと引っくり返しすぎかなと思うところもありますが、私はあれはあれでよかったと思います。ただ、日本列島に米を持ってきた人たちのことをもっと具体的に描く必要があると思います。

網野さんの少し上の世代に宮本常一がいますが、彼は日本列島に米を持ってきたのは倭人と言われている人たちに違いないと考えていました。揚子江の河口に近い土地で水田耕作が発達しますが、その近くにいた海洋民なのだろうと。宮本さんの言い方はすごく面白くて、倭人は「半農半漁」であったと言います。彼らは潜水で漁業もします。背中に刺青を背負って海に潜る海洋民で、しかも稲作もやる半農半漁の人たちが北部九州に入ってきたことがきっかけとなって、日本列島に米づくりが持ち込まれたと宮本は主張します。

日本列島に稲作が持ち込まれたとき、必ずしも縄文人は諸手を挙げて迎えたわけではありませんでした。「あんなものよくない」と思う縄文の人たちもいっぱいいたし、なかにはすごく早い時期から情報をキャッチして九州に出かけて行った東北の縄文の連中もいます。縄文人の反応もまちまちで、地域差があり、日本列島に米づくりが広がるのには、予想以上の時間がかかっています。

山極　私が問題にしたいのは、なぜ農耕のような非常に過酷な労働生産様式が日本だけではなく世界各地に爆発的に広がったのか、ということです。今の粗放農業と狩猟採集を比べても、狩猟採集のほうがよほど呑気で気楽な生活です。しかも農耕のほうがリュウマチやヘルニアなどの病気にかかりやすいですし、なおかつ定住することは非常に不衛生です。それなのになぜそんな簡単に農耕に移ってしまったのか。最近の説ですと、ギョベクリ・テペの遺跡がトルコの南東部で発見されましたが、この遺跡では、農耕が始まる前にかなりの人々が定住をして、何十年もかけて見事な彫刻が施された石柱が何本も立っている神殿をつくったらしいのですが、そこから三〇キロしか離れていないところで、その後しばらくして小麦の生産が始まっている。つまり、簡単に言うと、農耕が始まったから人が集まったのではなく、別の理由で人が集まったから農耕が出てきたのではないかという話です。そしてそれは日本の縄文にも言えるのでないかと思っています。例えば三内丸山遺跡でもかなり立派な木柱が立っていて、三〇〇～五〇〇人くらいの人が住んでいたらしいのです。そうすると、人が集まる何らかの精神的な認知革命があって、それが生業意識を徐々に変え、結局農耕という、リスクは高いけれど多くの人々を食べさせることができるような生業様式が起こったのではないか。おそらく狩猟採集と農耕を互いに繰り返しながら、それでも人を集められるような何か――それはまさに神の存在や神話だと思うのですが――ができたのではないでしょうか。

なぜこうした話をするかというと、ロビン・ダンバーの説では、人間の脳は他の霊長類と同じように社会脳として進化したとしたら、今の一四〇〇ｃｃくらいある人間の脳は、一五〇人くらいがまとまって暮らすのに適しているのだということです。しかし、農耕以降あっという間に人が増えてしまったものですから、人間の脳ではうまくやっていけなくなった。そのために身体ではなく記号化した神話を接着剤のように利用して人々を結びつけたというわけです。それが農耕と結びついた。つまり、農耕はただ技術だけで独り立ちしたわけではなく、神話などと非常に密接に結びつきながら人々の集団をつくっていったのではないかという話ですが、私はどうもそちらのほうが正しい気がしています。

中沢 ただ神話は農耕と関わりなく生まれ出たものですからねえ。これまで知られている神話のほとんどのものは新石器時代以後に組織化された神話でしょうが、おそらく旧石器時代から新石器時代への移行期、中石器時代くらいに原型ができただろうと考えられます。レヴィ＝ストロースは、組織立った神話は中石器時代に形成されるもので、新石器時代になっても狩猟生活を行っていた人々の神話形態は変わらないと考えています。祭儀と神話はペアで発生しますが、(上部)旧石器の遺跡で行われた祭儀を見ても、すでに旧石器時代にも神話は大きな社会的機能を果たしていただろうと思います。農耕が始まったときに起こる変化というのは、もうちょっと違うレベルに設定したほうがよいのではないかと考えます。

日本列島の場合、稲作が九州の糸島半島と博多湾の周辺でまず行われます。当時の周りの縄文の人たちもかなり好奇心を持って見に来ているみたいで、先ほども少し話しましたが、情報はたちまち青森まで広がっていったようです。青森の縄文人たちが北部九州に視察に来ているという興味深い説があります。博多湾の弥生村の遺跡のなかから当時の青森の縄文村落にしかない漆塗りの櫛が出土しています。お土産で持ってきたのでしょうね。青森の米づくり実験はかなり古い頃から始められていて、寒冷地なのですぐにダメになってしまいますが、相当にがんばっています。稲作は北部九州から瀬戸内海へわりとスムーズに広がっていきますが、伊勢湾でいったんストップしてしまいます。稲作は名古屋のある丘陵地帯で止まってしまった。そこで登呂などの太平洋側の海岸縁を北上するしかなかった。名古屋から中部地方にかけては頑として受けつけないのです。

山極　脊梁山脈に住む人たちですね。

中沢　そうです。それで三〇〇年くらい遅れた。稲作は北陸のほうから日本海側へも伝わっていきます。稲作が成功するにはラグーン（潟）がなくてはいけません。このラグーンがあったために出雲の縄文社会で米づくりは大ヒットして、そこにはヤマトとは異質の「国」が生まれます。その後北陸のほうに広がっていきますが、これも能登半島でストップしてしまいます。

山極　やはり高い山が出てくるからなのでしょうか。

中沢　能登半島の場合は、クジラ漁やイルカ漁をやっている村で稲作を受けつけない連中が出てくるのです。その連中が太い柱を立てる祭儀を始めます。この柱が一体何かということに関してはいろいろな説があります。三内丸山遺跡でも同じように太い柱が天空に向かって立てられています。長いこと稲作を受け入れなかった諏訪でも御柱があります。

山極　あれは縄文からの文化ですか。

中沢　縄文からだと思います。イルカ漁をやっている北陸の縄文村落でも大きい支柱を立てる儀式を行うわけですが、そこの遺跡に行って見てみると、柱の周囲は子宮のかたちにつくってあって、おそらくはイルカの豊穣と人間の豊穣を重ねた儀式装置ではないかと思いました。

北陸・東北・中部にかけてのいわゆる縄文文化が盛んだった地域では、あんなに手間のかかる、伝染病も出るような不潔な水田耕作よりも、ドングリだってあるしイモだってあるし、縄文の農耕のまま行こうじゃないかという勢力が非常に強かったのではないかと思います。だから何が突破口になっていったかと考えても、日本では稲作側が「ヤマト」という連合国家をつくり、その力がだんだん東に及んでいったという政治的側面が大きいと思うのです。

移動を可能にする精神

山極　もう少し前に遡って精神性ということを考えてみると、例えばアフリカでホモ・サピエンスが誕生し、一〇万年前にイスラエルあたりの中東地域に到達しますが、そのときはアジアにもヨーロッパにも進出できませんでした。それが五万年前にアジアに行き、四万年前にヨーロッパに行きました。ここには一万年くらいのタイムラグがあります。アジアに行った連中はすぐ海を利用してオーストラリアあたりまで渡ります。日本にも少なくとも三万年前には渡ってきました。海沿いの資源の利用がかなり盛んだったと思います。それを手に入れて初めて中東を越えられたのだという気がします。

そのときどれだけの精神的変化があったのか。それまでは地理的な未知の世界に行こうとするのは難しかったが、それが可能になる精神が登場した。さらに、水田耕作や稲作になると、今度は時間的に未知の世界に投資をする、あるいは何かを期待するということが起こってきます。それを今われわれは両方ともやっているので簡単に思えるかもしれませんが、時空を超えて未知の世界を想像するのはものすごく大きな飛躍かもしれないのです。

そのときに中沢さんが先ほどおっしゃられた神の違いというのが出てくるのかもしれない。稲作はすぐに得られるものではなく収穫が後から来るものです。その収穫によってどのくらいの量の作物がとれ、それがどうやって分配されるかはあらかじめ計算しなくてはいけません。そういうことをしながらみんなで同じように、あるいは違うように期待しながら集まっているということが、それまでにはなかったのだと思います。それが非常に功を奏したからこそ、稲作があるときに力を持ち始めたのだと思います。

中沢　原初の資本主義ですよね。つまり、最初の投資を行って、それがタイムラグをもって利潤をともなって再生産される。農業の構造はそういうものですからね。

経済学ではオーストリア学派が、資本は時間の軸を入れないと絶対わからないのだという説を出しました。マルクスにはあまり時間軸は入っていません。しかし、オーストリア学派では、資本主義は前方に向かって投資をして利潤を発生させるということ、つまりタイムラグを発生させるという点を強調した。その原型は農業にある。

山極　もちろん縄文時代にも蓄積できる栗のような堅果類があったのですが、そういうものを通貨としては利用しなかった。米というのはある意味通貨として利用しやすいものですよね。なおかつ、だいぶ後の時代のことですが、律令制が敷かれた後も米によって年貢を納めさせるということをします。それがあったために、日本ではなかなか通貨が普及しなかったという話もあります。やはり水田耕作、稲というのは、人々に同じ価値観をもたらすという意味では、非常に重要な価値を持っていたのではないでしょうか。

中沢　網野さんがその点を強調されていました。お米は貨幣なのだと。大陸から銭が入ってくるけれど、銭は交易に使っていないのです。

山極　溜め込むために使っていた。

中沢　ええ。マジックというか一種の呪力として銭を集めていたのだというのが網野さんの考え方でした。銭のようなプレモダンな呪物に比べると、米のほうが流通の交換道具としてはずっと能力が高かった。

この神の発生の問題は人類の認知革命の本質にも関わっているし、移動の問題とも関わっている。こういう言い方をすると、農業以前・認知革命以前にはいわゆる神というものがいなかったことになります。それを「神」と呼ぶことも今のわれわれはできるけれど、別種のものだったと考えたほうがいい。

山極　一神教の神ですか、今おっしゃっているのは。

中沢　多神教の神でも同じだと私は考えています。インドの宗教を見ていると、これは明らかに農業の神様だなという感じを受けます。一神教はそこから発達したさらに特殊な超越者で、その神の力が本当に人類の上に絶対的な力をふるい始めるのは、むしろ近現代ではないでしょうか。

比喩としての言葉

山極　スティーブン・ミズンに言わせると、言語はもともとトーテミズムと非常に関連が深く、言葉は比喩であった。だから、自分の祖先を何かに譬えて言うことによって力を持ったり、あるいは他の家族や他の集団に別の動物を当てはめることによって区別したりした。集団を区別するということは、もちろん哺乳類段階からやっているわけですが、それをシンボリックに言い表す言葉というのは非常に効率的なのですね。比喩というのは実は非常に効率的なやり方なのです。自然界のものはすべて別々なのですが、それを類として区別して何かとして言い表す。しかも、ふつうそれは現物を持たなければ相手に見せることができないけれど、名前をつけてしまえば相手に見せなくてもそれをイメージさせることができる。つまり言葉というのはポータブルなものなのです。

言葉の発生起源を考えたとき、おそらく自然物と人間関係との両方に応用可能なかたちで現れたのがその最初なのではないかと思っています。つまりトーテムということを言うと、ある動物と自分たち、家族や部族のつながりを意識せざるをえなくなる。そうすると、やはりそこに宗教的なものや神話的なものが発生する余地があると思うのです。

中沢　それがネアンデルタールと現生人類を分ける分水嶺だったのではないかと、私は思っています。ミズンもそのことを語っていますよね。いずれにしても、比喩能力というのが最大のポイントだと思うのです。

比喩は別種のカテゴリーのものを重ね合わせて表現することを可能にしますから、情報量が劇的に縮減するでしょう。縮減表現が可能になっていく。そうなると、脳はたくさんのメモリーを必要としなくなります。縮減されて、他の異なる領域のものとの重ね合わせが可能になってくる。

そうなると山極さんがおっしゃるように、中間の共通性のあるものだけを持ち歩いていけばいいわけですから、移動可能にもなる。なぜかというと、比喩はどちらにも属しているし、どちらにも属していないものだからです。そうすると現物と引き離して理解することが可能になってきて、スペキュレーション（思弁）の基礎をつくる。観念やスペキュレーションは比喩能力がないと発生不可能です。比喩能力が発生するには、脳のなかでニューロンとニューロンの接合が複雑化してきて、フィードバックの機構が複雑になり、そこに新しい接合様式が発生していなければならない。

山極　回路ができるわけですね。

中沢　それができないと重ね合わせができないのだろうと思います。そしてあるものを思い浮かべたとき、すぐに別のものが連想できるようになる。連想するということは、二つのものを縮減・接合することですから。それは現実のオブジェから引き離された想像領域を生み出し、観念性を形成していくことにもなる。その変化をミズンは「流動的知性」と言っています。

山極　「認知的流動性」とも言っていますね。

中沢　異なるカテゴリーの間を知性が流動できるという意味ですけれど、これを脳科学的な事実に対応させるとすると、ニューロン・ネットワークの新しい形成がそれを導いています。そのお陰で、脳のスペックが小さくても済むようになり、情報縮減が可能になった。情報縮減が可能になると同時に、観念性が発生していく。この二つの領域を重ね合わせるトーテミズムの発想法が一つのメルクマールとなっているというのが、レヴィ＝ストロースの『野生の思考』の問題でした。そこがやはり今でも一番重大な点だと思います。

人間的な記号

山極　私がそれに付け加えて言うならば、ミズンも言っているように、それ以前には身体を使った比喩が長く続いたのではないかと思うのです。それは遡れば直立二足歩行に行き着くのですが、二足歩行によって重心が高くなり、手が自由になって、手や身体を使っていろいろな動物や岩や木などが表現できるようになった。ジェスチャーでいろいろなものを伝えていた時代があるのではないかと思います。それは今でも、ピグミーの踊りが象を表したり、いろいろな動物を表したり、定式化した表現をするわけです。それで、他の仲間たちもそれに擬（なぞら）えて踊ることによって、他人の記憶を身体化することができるようになる。それは実はミツバチの8の字ダンスと同じなんですよね。同じように後をついて踊ることによって、蜜の在り処を覚えるわけでしょう。そういうことが人間の進化の初期には長いこと行われていて、ある程度の記号的な身体動作が可能になっていた。なおかつ、それをやるためには、同調や共感能力が発達する必要があったわけです。そういう土台があって初めて、記号化・言語化といった音声と結びつくものが出てきたのではないかと思うのです。

中沢　その通りだと思います。長い身振り言語の時代と、音楽と言語が一体になった音楽的言語の時代があった。

山極　確かに音楽もそうですね。

中沢　音楽の問題は後でまた話そうと思うのですが、とにかくそういう時代があったのだと思います。身振りの記号を広い意味での記号として考えると、ある身振りと意味されるもの＝対象物が、固く結びついてくる。そういう記号の時代は非常に長かったと思います。そこに比喩能力が生まれてくるとどういう事態が起こるかというと、意味するものという記号の表現的な部分が移動を始めるわけです。流動を始めます。

山極　まさにそこで境界を越えられるようになったわけですよね、ある事物の境界を。

中沢　そういうことが思考のなかで可能になってきた。これをもって人間的な記号と呼ぶのだろうと私は思います。

ただ、その場合、もしも記号の部分がどんどん流れていってしまったらどういうことになるか。これは一九世紀にフロイトなどが問題にした精神病の問題とも深く関わってきます。流れていくものにストップをかけるものがどこかにないといけないと思うのですが、それは「同じものの回帰」ということではないかと思うのです。この言い方はニーチェのものですが、音楽の本質に結びついています。後期（上部）旧石器時代の人類がヨーロッパの寒冷地の境界より少し南に下りたあたりで文化を大変発達させました。そのとき洞窟壁画を描いています。洞窟壁画が描かれた洞窟の内部は大変音響効果のいいコンサートホールでした。

山極　そうか、音の要素が入っていたのですね。

中沢　動物たちの音楽、例えば鳥の歌などはとても素晴らしい音楽です。作曲家のメシアンが讃嘆していますが、メロディー創作力に関しては、鳥に秀でるものはないくらい鳥たちは素晴らしい音楽家です。しかし、人間であるわれわれの知っている音楽とは少し違います。人類的な音楽の発生は、儀礼が洞窟のなかで行われていたということと関わっている。洞窟のなかで同じ音、例えばドに相当する音を発生させ続けると、倍音が発生します。人間の頭蓋骨のなかでも倍音が起こります。この倍音が同じだと認知するということが起こったとき、つまりあるドと一オクターブ上のドが同じだという認知が発生するとき、同じものの回帰が生まれます。それまでの記号的計算能力だと、1、2、3、4、5、6、7、8、9、10……とずっと無限にまで伸びて広がっていってしまいますが、同じものが回帰するとなると、1、2、3、4、5の次の6はまた1になって帰ってきて、円環をなすようになる。

山極　絶対音感から相対音感になるわけですね。

中沢　そうです。南アフリカで発見された旧石器人の人骨に、刻み目が入っているものがありますよね。

山極　ブロンボス洞穴ですね。

中沢　ブロンボス洞穴のものよりもっと新しい、コンゴのイシャンゴで出た二万年ほど前のヒヒの骨のことですが、そこには大小さまざまな刻み目が意図的に彫り込まれています。刻み目はグループ分けされていて、そこに11、13、19のような素数まであらわれているところから、この旧石器人たちには数学の能力があったのだろうと考えられたりもしました。私はマルシャークの暦説に賛成で、月齢に関係しているだろうと考えています。月の満ち欠けのリズムが関係しているだろう。真っ暗になる新月の二日分を加えて、一月の周期を表現しているのではないか。いずれにしてもなんらかの数学的体験を月の周期から引き出しているわけで、これは音楽体験と同質のものではないでしょうか。

山極　なるほど。ただ、視覚的なものと聴覚的なものは同じ回帰でもまったく現象としては違うので、それらを同期させるにはかなり高度な知性というか気づきみたいなものが必要ですよね。

中沢　むしろ音のなかに同じオクターブを発見するほうが高度かもしれません。

山極　ブロンボスは七万年くらい前ですよね。ちょうど言葉をしゃべり始めたのが七万年前あたりと言われているので、近いかなと思っているのですが、あそこではオーカー（酸化鉄）も発見されているのです。オーカーを使って壁画をつくったわけではありませんが、ボディ・ペインティングをやったのではないかと言われています。実は身体加工はもっと前から起こっていた可能性があるのです。人間の身体から毛がなくなったのはだいたい一二〇万年くらい前と言われていますが、そこで身体がキャンバスになる時代が来るわけです。刺青などもあったかもしれません。自分の部族や家族が他の動物だというとき、身体加工をしてその動物になりすます、あるいはそれと同質のもの――羽飾りとかでもよいのですが――をつけるということがどこかで行われ始めたのだと思います。要するに、色を塗るという発想がどこからか出てきた。これは言ってみればウェアラブルです。動物たちはいろいろな模様をつけている。それは鳥も昆虫も魚もそうです。みんながみんなそういうものをつけていて、しかも婚姻色でまたガラっと変わるわけでしょう。発情期になると、サルは色を変えますし、シカなどにも大きな角が生えます。そういうものが求愛に使われるようになったりする。それを人間はテンポラルにつくり、着たりつけたりするようになった。これがまさに芸術の始まりで、初めは大げさなものではなかったと思いますが、その起源がブロンボスにあるのではないかと思います。それが四万年くらい前にヨーロッパで花開くわけですが、そういうものが起こるためには、どうしても比喩というか、自然物と自分とを同一視し、自分を変えるというような認知的な衝動が出てこないといけない。

中沢　刺青（ペインティング）と仮面の問題ですね。この二つはだいたいいつも一致していますが、仮面の文化が最も発達した地域がアフリカだということには何か意味があるような気がします。仮面を着装することによって、人間と動物の間の存在に変わっていく。ラスコーの洞窟に描いてあるシャーマンも仮面を着装しています。ところがインドだと仮面ではなく人間の体の半分が動物になった神々がいっぱい出てくるのですが、あの神々——牛の神様やら馬の神様やら象の神様やら——は起源が本当に古いのだろうと思います。

山極　ヨーロッパでも「ライオン・マン」という最古の彫刻がありましたね。あれは三万年くらい前だったと思います。

「ゼロ」の能力

同じものの回帰

中沢　先ほどの「同じものの回帰」という話ですが、最近の『現代思想』でもよく現代数学の特集が組まれているように、今、現代数学が非常に面白くなっています。そのなかで一番大きい問題はゼロの問題です。黒川信重さんがやられている「絶対数学」にしても、どうもこの別のゼロの問題が鍵であるように感じます。今のわれわれが考えているゼロとは、いわば1と0を対置させる相対的ゼロです。しかしインド人は同時に別のゼロを発見しています。いわば「絶対的ゼロ」です。あらゆる数の生成と消滅を支えるゼロですが、そのゼロがインド人のなかに着想されるためには、同じものの回帰ということが起こらなければならなかっただろうと思います。数学で言うイデアルというものです。例えばあらゆる自然数を5で割った余りによって分類するとします。すると、6は1に分類されます。7は2に分類される。たぶん分類の本質ってこれなんでしょうね。そういうことが脳のなかで起こるようになっていった。同じものの回帰によって数全体の世界が分類されるわけです。そんなわけで、音楽と数学は脳のなかの近い場所で行われているのでしょう。

山極　なるほど。もう一つ言えば、あるという状態が自然であって、ないという状態が不自然だという感覚ですよね。これは実は動物にもあります。ボールがある／ないで対応させて答えさせる実験がイルカやアシカで行われているのですが、訓練すればできるようになるのです。あるべきものがない、ある状態がないという状態を覚え込ませることができる。その場合、ない状態が普通なのではなく、ある状態が普通なのだということを考えないと、ないということをそれに対応させて考えさせることができないわけです。普通はそういうことを考えないものです。というのも、ないことに対する予期がないですから。ここにあるはずのものがないのだとしても、ある状態とない状態とが連続してつながっていなければ、その系列のゼロとは言えないわけですから。ない状態はあらゆる状態につながるわけですよね。それは数列のなかの一つの状態なのだと考えられなければできないわけです。だから、ゼロができるためには、その数列そのものの関連として想定しなければできないということになります。

中沢　山極さんがお書きになっていたこと〔「類人猿はなぜ熱帯雨林を出られなかったのか――人類進化の分かれ道を探る」『現代思想』二〇一六年一二月号〕で面白いと思ったのは、ゴリラの赤ん坊はギャーギャー泣かないのに、人間の子どもはギャーギャー泣くということです。その原因は、ゴリラの子どもはすぐに身体能力が発達するからお母さんの手を掴むことができ、生まれたときからずっと母親と接触することができるからだと。一方人間の子どもの場合、身体能力が劣っているし体が重いから、母親と離れているために泣くのだと。

それを読んですぐに思い出したのは、フロイトの研究です。フロイトが象徴機能の発生について書いている文章があるのですが、元になったのは彼の家庭内で起こった実体験です。年を取ったフロイトは、あるとき孫の世話を頼まれました。お母さんがドアを閉めて外へ出てしまうと、フロイトと小さい孫の二人になります。子どもは非常に不安そうで、今にも泣き出さんばかりです。そのうちお母さんが持っていた糸巻きを見つけて、それを向こうへ投げるという遊びを始めました。そのとき「いない（Fort）」と言う。糸巻きは投げるともちろんあるところで止まりますよね。それを引き戻すと、今度は「いた（Da）」と言う。「いない」「いる」「いない」「いる」……という反復が象徴の根源をつくると同時に、糸巻きと母親の取り戻しを記号で同一化させている。糸巻きを自分のところへ持ってくるとお母さんが自分のところへ帰ってきたのと同じようになって、ニコニコ笑う。じゃあそこでやめておけばいいじゃないかと思うのだけれど、子どもは際限もなくまた投げる動作を繰り返す。それは恐怖感を再現しようとしているようにしか見えない。これが「死の欲動（タナトス）」というフロイトの有名な概念に結びついていく。

私は山極さんの文章を読んだとき、人間の記号発生の起源において、子どもが母親の身体から離される恐怖感を覚えることと泣き出すことということの二つが大きく関係しているのではないかと思いました。

山極　面白いですね。実は私は同じようなものが子どもと親だけでなく大人の人間同士にもあると思っています。例えばゴリラでもチンパンジーでも、ある個体が集団からいなくなれば、死んだも同然と見なされます。その個体は帰ってきませんから。もし帰ってくることがあったとしても、まったく別のものとして帰ってきます。そしてそれまでとはまったく違う関係がそこでつくられる。でも人間の場合、帰ってくるものとして期待されますよね。出ていった人はいつか帰ってくる。昔ゴリラやチンパンジーの共通祖先と分かれた頃は、人間も出ていったら帰ってこないものだと考えていたでしょう。でもいつかそれが必ず帰ってくる、出ていくのは帰ってくるからだというふうに往復で考えることが可能になった。だからこそ人間の集団はかなりいろいろなかたちでつくり変えられるわけです。例えば家族が安定していて開放系になったということにはそういう理由があります。それと赤ん坊が母親から離されるということは非常に近い関係にあるのではないかと思います。ちょっと大胆な発想ですが。

つまり、子どもは小さい頃に母親と離れるのだけれど、しかし母親は必ず戻ってくるのだという往還のなかで育つわけです。自分と最も近しい人は自分の近くにいるわけではない、離れてまた戻ってくるのだ、というふうに考えながら人間形成をするわけです。それがまさに人間の社会を原型づけているというか、そういうふうにして人間は人間と離れられるようになったのです。ゴリラは常に群れの仲間がいっしょに行動しますが、チンパンジーは離れてしまうともう不安で不安でしょうがない。離れたらとにかく近づこうとする。そして近づくときには、抱擁したり、キスしたり、握手したり、毛づくろいをしたりしながら、一生懸命不在の時を埋めようとするのです。それはもう見ていていじましいくらいな熱心さです。人間の場合、「やあ」で済むわけじゃないですか。もちろん抱擁する場合もあるでしょうけれど。こんなことが可能になっているのは、やっぱり赤ちゃんの頃からそういうことを経験しているせいなのではないかと思います。

中沢　それを記号のなかで、小さい範囲で再現するわけですね。それが先ほど言った音楽の問題の根源につながっているのだと思います。同じ音が帰ってくる、あるドと一オクターブ高いドとは違う音であるにもかかわらず、同じと認知する。その中間くらいに、今度は五度違う音、四度違う音、というのを感覚して、音階の音楽がつくられてくるわけです。この帰ってくるという問題が記号の根源にもつながっているし、音楽的言語の根源にもつながっている。

同じものが帰ってても、本当は別のものです。蕩児の帰還みたいなもので、何年間も外へ行って戻ってきたやつが同じわけがないのだけれど、それを同じだと認知して迎えるというときには、その間の何年かの体験はチャラにしているわけです。共通部分だけを取り出して同一性を認めているわけですから。となると、そこにゼロに戻す機能がつねに働き出します。それは月の満ち欠けの観察が新石器時代の象徴物で非常に重要な働きをしていたこととも関わっているのでしょう。

いずれにしても、物事をチャラにできるという能力はゼロの能力です。あらゆる比喩にはこのゼロが働いています。

山極　ただ、サルの仲直りの仕方はチャラにすることなんですよ。つまり、なかったことにしようという態度です。諍いがあって、優位にあるほうが劣位にあるほうに噛みついて、劣位なほうは泣き叫びながら「ゴメンゴメン」とやるわけですが、その後別れてから再会したとき、何事もなかったかのように毛づくろいを始めるのは優位なほうなんです。これがサルの仲直りの方法です。そのとき、チンパンジーならあからさまに抱擁したり、明らかに違う態度を示しながら、これまでの諍いの上塗りをしようとする。チンパンジーはこれまであったことをゼロにはしない。その上で新たな関係をつくろうとする。ニホンザルの場合には、お互いの社会的地位がそこで解消するわけではありませんから、優位なほうはまるで先ほどの戦いがなかったかのように振る舞うのが仲直りの方法なんです。それが一番原始的なやり方です。

類人猿になると、あるいは人間になるととりわけそうなのですが、以前やった戦いや喧嘩を逆利用して、前よりよい関係を築くということをあえて志向するようになります。これはちょっと贅沢なやり方ですが、とにかくそういう方法があります。だから、わざわざ喧嘩をして、仲直りを特別時間をかけてやるということがチンパンジーになると出てくるわけです。しかし、ニホンザルのようなあっさりした、上下関係をあまり壊さない連中はまさにチャラにするのです。人間はそれを数学で、あるいは頭のなかで、表現したのではないでしょうか。つまり、元に戻る、回帰するということを。

「レンマのゼロ」の上昇

中沢　元に戻ること、チャラにすることには二つの意味があります。一つは、あんなに喧嘩はしたけど元の状態に戻れるという意味です。これは記憶の能力とも深く関係しています。先ほど触れた現代数学におけるゼロの問題を考えてみても、繰り返しになりますが、どうもゼロにはもう一種類あるらしいという予感につながる。それは数学のさまざまな営みを通じて萌芽的にはたくさん出てきていました。

そのゼロを、インド人はどう考えたのか。彼らは二種類のゼロを考えています。一種類は生産能力のないゼロで、0と1を対立させるときのゼロ、すでに存在しているゼロです。存在している世界のゼロ、あるいは「有のゼロ」と呼んでもよいでしょう。そしてもう一つ、「無のゼロ」というのがあって、これは生産力を持つゼロなのです。仏教は、この無のゼロという生産力を持ったゼロを元にした論理体系をつくり上げました。ところがギリシア人は、ゼロの一つの側面だけを取り出し、有のゼロを組み合わせてロゴスの結合法をつくりました。インド人の考えたゼロはロゴスではなく「レンマのゼロ」と言われていま す。そのゼロはそれまで数学の表面に出てこなかったのだけれど、それが二〇世紀になって大きく浮上してきて、放置できなくなっているように感じます。

そこでは点は大きさを持つようになります。そういうゼロを元にした数学の体系をつくる試みを実際にグロタンディークはやってみせました。この考えは物理学とも連動していて、素粒子物理学がやはり同じところへ近づいています。

山極 宇宙の始まりもそうですからね。

中沢 人類は長い進化の過程のなかで、類人猿が森を出るときに起こった認知革命から始まって、徐々に時間をかけて認知能力を発達させてきたわけですが、基本は同じなのだというところが重要です。

人類のなかの自然

山極　先ほどの音と視覚の世界を縫い合わせるというお話ですが、壁画は三次元の世界を二次元に写し取るわけで、そこにはかなりの視覚的な錯視というか、つくり変えがあるわけですよね。

中沢　二次元のバイソンと実際のバイソンとを同一視するわけですからね。

山極　われわれとしては当たり前に思えるかもしれないけれど、それまでそういうことを体験していない人にとってはとんでもないことです。そこには、例えば岩を動物のように見立てるとか、木を見て何か怪物を思い描くとか、そういう思考方法と似たものがあって、それが元にないと、ああいう芸術はできない。あるいは音楽が一つのメロディーとして成立するためには、音と音との組み合わせのなかに、意味ではなく何かを表現するということが込められていないとできないのではないかと思います。

では音楽はどのようにできてきたのかといえば、やはり視覚世界と音との連続性だろうと思います。要するに、叫びや泣き声があやしなどと行動が組み合わさってまずは行われていたものが、声だけでそういった行動なり何なりを連想できるようになった。そしてそのなかにフィクションが生まれてくるというか、意味が含まれない何らかの感情的なメッセージ、すなわち相手を安心させるとか、怒らせるとか、お互いの気持ちを鼓舞するとか、そういう作用がある音声の一群が生まれてきて、それを多用するようになった。例えばラグビーの試合前にニュージーランド代表がやるように、集団の意志を整え、気持ちを一つにするということが行われるわけですね。それはもともと集団性を帯びているものだと思います。それがのちに、一人の人間が奏でる、あるいは歌うメロディーが人々に伝染していくということになる。

すごく面白い話があります。類人猿の音声を研究しているジョン・ミタニというイェール大学のアメリカ人研究者がいるのですが、彼がチンパンジーとゴリラを見に行って、その音声をソノグラムに録音し、両者の特徴について言ったことです。ゴリラのゴリラらしい特徴はハミングなんです。一人で「ウウウー」と唸って、自分一人で楽しんでいる。それがときどき周りのゴリラに伝染するのです。しかしそれぞれが勝手にやるので、合唱にはならないのですね。片やチンパンジーにはパント・フートというのがあって、高音の鳴き声がみんなに伝染して合唱になるのです。雨が降ったときのレインダンスなんていうのもあります。興奮をみんなで共有するようなところがあるのです。これがチンパンジーの特徴です。ゴリラは一頭一頭穏やかな音声を出し合っても協調し合いません。人間の歌は両方のルーツを持っているのかもしれないなと、私は思っています。

中沢 日本人の音楽は、三味線音楽がそうですが、一本メロディーで、しかも一人で、唸りを入れていくだけです。あれは台湾先住民のポリフォニーなどとは対照的です。またヨーロッパ音楽、キリスト教音楽は明らかにポリフォニーで発達し始めますよね。日本人はゴリラ型の音楽なんでしょうね（笑）。

山極　そうかもしれませんね（笑）。私は歌はもともとのオリジンとして社会的なものだと思っています。自然に対して反応してやるものではなく、お互いの情動をコントロールしたり、あるいは自分の情動を相手に伝えたりするものだった。それがワーッと盛り上がるか個人単位で収まるかの違いがチンパンジーとゴリラにはあるわけですが、集団が離合集散したり、あるいは集団自体が大きくなったり、集団で何かの活動をしなければならなくなったとき、音というものが同調の道具として使われるようになり、それが自分一人で味わうのとは違う気分をつくり出していった。

それがあったからこそ、メッセージを音に乗せることができるようになった。最初は歌というか、言葉のない歌だったと思います。音楽が先にあり、メロディーの前にはリズムがあり――ゴリラにはドラミングがあるし、チンパンジーもあたりを叩き回るという誇示行動をしますし、タッピング（踏み鳴らし）もあります――、そのリズムにみんなが乗りながら、身体を動かす。ダンスと音と歌がだんだんと一体化してきたということが音楽の歴史の前半部分にあっただろうと思います。それがだんだんと卓越した、独立して取り出せるような音楽に変わっていって、そこに言葉が入ってきた。今でも言葉と音楽は違う影響力を持っているはずですよね。言葉はあくまでもメッセージですから、先ほど言われたように、音の高さによって意味が変わったりしてはいけない。低いドも高いドも同じ意味を表すということが言葉の原則です。男性がしゃべっても、女性がしゃべっても、年寄りがしゃべっても、若者がしゃべっても、意味は同じでなければいけない。しかし高い声でしゃべるのと低い声でしゃべるのとでは安心感が違ったりする。政治家は低い声でしゃべるように訓練しますね。田中真紀子さんが活躍していた時代は声を低くしてしゃべっていたということが言われたりします。

中沢 選挙結果が出る前のトランプと、当選が決まってからのトランプとでは、話し方が全然違いますものね。

山極 意識的にやっているのでしょうね。歴代の大統領には選挙中にきちんとアドバイザーがついて、どういうふうにしゃべるか、パフォーマンスまで含めて指導をしていますからね。

中沢 サル学とか、勉強しているのでしょうね（笑）。

ところで、これまでのデモのやり方は類型化してしまってつまらないものになっているとみんなが感じています。攻撃的な情動を表現しようとするとき、言語的メッセージではなく、音楽をつけて言語を音楽化してきた。そのためどんなメッセージを伝えようとしても、いつの間にか行進のリズムと合ってしまい、それがデモの類型化を招いてきました。これにみんな飽きが来てしまって、今では主流はラップです。メッセージ性と音楽性が個人化されていく傾向があって、それが政治的デモを変えているのでしょうね。

山極　昔のデモは繰り返しをうまく使っていて、それなりにリズミカルにみんなで反復させながら、パフォーマンスを入れていったということがありましたよね。

中沢　それはゴリラが敵を威嚇するときに咆哮する行為に近いのではないですか。

山極　ゴリラの集団と集団が出会うと、パフォーマンスをするのはオスだけなんです。オスがパカパカパカとドラミングし、周りで見ている子どもなんかは真似したりしますが、基本的には興奮して見ているだけです。オスのほうは真剣にやっているのですが。それはまさに一人芝居です。でもみんながそれに注目するという意味では非常に効果があります。

チンパンジーの場合はなかなか高い緊張を孕みます。実際に戦いますから。非常に過激な音声を上げてワーワーワーワー言い合うわけです。それを耳を劈（つんざ）くような音声でやり合いますから、みんなが興奮して、総毛立ちます。

いまだに人間の行動はチンパンジーと同じルーツを抜け出ていないところがあります。身体的な作用もそうで、今「総毛立つ」と言いましたが、毛が立ったり鳥肌が立ったりするのはチンパンジーとそっくりなんです。先ほどのラグビーではないけれど、そういうときに身震いしながら合唱して戦いに挑むということがあるわけです。そういうことは現代でもあまり変わっていないような気がします。

原型的音楽

中沢 「人類学の自然」というこの特集のテーマは、まさにここがポイントなのだろうと思います。今のわれわれがやっている行為のすべてのなかに自然が浸透している。それが一番はっきり表れるのが音楽です。言語と音楽が合体している原型的な言語音楽みたいなものをミズンは想定していますが、これには霊長類を研究している方も同意するのではないですか。

山極 そうですね。

中沢 そしてこの音楽には情動と思考の両方が含まれている。人間の音楽は同じものの回帰という思考過程を組み込んだ上での音楽であって、それはゴリラ・ボノボ・チンパンジー以来の情動的な原型的音楽の土台の上に形成されている。人間のつくる文化的な作品は、今そこへ戻ろうとしているように思われるのです。つまり、身体性であるとか、リズムであるとか、メロディーであるとか、一言で言えば原始的な音楽性を意味メッセージのなかに取り込もうとしたときに初めて詩がつくられてきます。詩は響きでできています。作品の宇宙のなかで響くのです。全体の響きが呼応し合って、それが意味とコレスポンダンスするというのが詩の原型だと思います。土台には原型的音楽が響いている。まさにそれこそ「人類の自然」です。

山極　そうすると、まさにアニミズム的な世界に回帰しようとしていると。

中沢　脳の思考能力はこれから機械との共生でやっていくのですが、その思考の根源は原型的音楽にあるのですから、機械とアニミズムが共存する世界と言えます。

「ジャングル」をつくること

均質化した世界と境界の問題

山極　私は人間の脳は本当に進化したのだろうかと思っています。言い換えると、あるときから止まってしまっているのではないかと思っているのです。

中沢　六〇万年前に？

山極　六〇万年とか四〇万年とか言われるのですが、大きさ自体は実際そこから変わっていないのです。ネアンデルタール人はもう少し大きかったわけですが。

言葉も音楽もそうですが、シンボルを利用するようになると、脳の中身を外部に出すわけです。記憶は頭のなかにしまっておく必要はなく、ものに結びつけておけばよくなるのです。その機能が高まるわけだから、ある臭いを嗅いでおふくろのご飯を思い出すとか、あるものを見てそこに固着しているイメージを呼び覚まして、それを頭のなかで再現していくということができるようになっただけかもしれない。それからもう一つはコピー機能です。何かをやっているのを見て、それと同じ動作を自分ですることができるというものです。これは普通「サルまね」と言われて蔑まれるのですが、実はサルにはできません。人間だけにしかコピー能力はないのです。目に映ったものを相手の立場になって再現することができれば、コピーはできるわけです。意味は考えなくていい。それができるようになれば、頭のなかでやることすら必要なくて、身体で再現してしまえばいい。例えば自転車に乗ることを考えれば、どこがどうなるのかということを頭のなかで再現することなしに、身体化すればできてしまうわけですよね。そしていったん身体化したものは、そうなる以前には戻せない。そういうふうに人間の身体は進んでいくようにできているわけです。別にそこに知能はいらない。脳が大きくなる必然性はないのです。みんな外部化してやるようになった。

そうすると、脳はこれからどんどん使わなくなっていく可能性がある。中沢さんがおっしゃるように、自然と共鳴する人間というのがあるとして、実はもっと頭を使うように自然と共鳴すれば、脳は大きくなっていくのではないかという気がします。逆に、このままＡＩ化やビッグデータ・サイエンスが進んでいくと、他人と自分を分け隔てるものがなくなります。

最初に申し上げたように、人間はどんどん境界を乗り越えようとしてきました。最初は動物的に身体によって境界を曖昧にしていきました。しかし、旅を繰り返し、もともと人間が出てきた熱帯雨林を離れて、極地まで行けるようになった。そのときに身体は極端な気候や環境に合わせて変わったわけではなく、外部化して適用していったのです。いわば、身体も脳もまだアフリカにいるのです。例えばニホンザルは四五〜六〇万年前に日本列島にやってきて、身体が四季に慣れてしまっているから毛変わりします。夏になると毛が短くなり、冬には冬毛が生え、春にはその冬毛が抜けて夏毛に変わる。人間にはこうした変化はないですよね。そういう意味ではまだほとんどアフリカにいるのです。アジアや南米などに出ていって、ある程度皮膚の色も変わったり、あるいは高地適応したりしましたが、それも僅かです。高地ではヘモグロビンの値が変わるとか、呼吸の回数が変わるとか、地域によって違いますが、そのくらいのものにすぎない。体の機能は改変されていないのです。そういうなかでここまで来てしまったわけです。

そうすると、それまで異なるものたちがそれぞれの境界を認識しつつ共存しようとしてきたのが、今度はもともと均質なものが原則となっていく可能性があるわけです。人間ばかりでなく作物や家畜もそうなりつつある。そうなると逆に均質なもののなかに境界が人為的につくり出されていくという時代になるかもしれない。

中沢　経済では今その傾向が強くなっていますね。グローバリズムの展開はそれこそ進化過程の一環なのですが、今はそれへの反動が強く起こり始めています。イギリスのEU離脱やアメリカにおけるトランプの登場、そしてフランスにおけるル・ペンの台頭などは、もう一回境界をつくろうという動きです。しかし、このトランプ的方向性が未来を拓くとは思えません。

山極　私は実はもうすでに均質化してしまっているのではないかと思っています。例えばみんな個性を明らかにしようとして服を買いに行くのだけれど、その服自体は全部既製品で、模様がちょっと違うだけでスタイルは一緒だとか。その背後にはおそらく企画する人がいて、自分の意思とは関係なく買わされている。資本主義と消費者主義に乗っかって、その均質な平面のなかの一断片にすぎないにもかかわらず、まるで個性のある暮らしのように思わされている。

そうしてみると、自然に近づくということは、一人ひとりが違うことをやりつつお互いに存在を認め合っていく、ということになります。私はいつも「ジャングル」と言っているのですが、ジャングルにはものすごく多様な生物が共生しているわけです。しかし、自分が関係するものしか知らない。自分と同種の生物がどのくらいいるかもわかっていない。そうしてあるがままの生活をあるがままに生きている。しかし、システムとしてそれは安定していて統一されているように外からは見える。それは人間社会の一つのアナロジーに使えるかもしれないですし、そちらのほうに少し近づかないといけないとも思います。今のグローバリズムのなかで均質性がどんどん高まってしまうと、何かすごく多様なように思えていながら実は均質で脆弱な基盤の上に乗っかっているということになり、あっという間に崩れ去ってしまうかもしれない。

中沢　マルクスの『資本論』は、結局世界は均質化していくということが書いてある理論書です。ただし、その先の処方箋をつくれなかった。社会主義も均質化した社会の別の形態のマシンをつくろうとしたにすぎなかった。今われわれの時代が直面しているのは、均質化した世界のなかで「ジャングル」をつくるということです。

私は仏教の勉強をしてきましたから、仏教がそのことをとても強く意識していたことを知っています。今山極さんがおっしゃった世界は、仏教では「華厳世界」と言われたものにつながりがあります。一人ひとりは全部違うのだけれど平等なのだというモデルですね。平等でありかつそれぞれに個体性がある。その全体がまるで音響ホールのように共鳴し合っている世界のモデルです。その根源に何があるかといったら、先ほどのゼロなんです。これだけ均質化した世界ですが、しかしそれは表面的な均質化にすぎないわけで、それはアフリカ的段階の脳が必然的につくり出したものです。ただしそれと同時にわれわれの脳のなかには別の能力も備わっています。それが例の別のゼロを認知する能力です。それは論理的な言語だけでなく、情感的な音楽も同時に奏でる能力です。今のまま行ったら、そうしたゼロの能力は埋め尽くされてしまうでしょう。それを取り出していく作業が必要で、それを具体的にどうするかという段階にまで来ているのだろうと思います。数学はすぐには具体的にあまり役には立ちませんが、少なくとも理念的な思考のなかでは「こっちへ行くといいよ」「こっちしかないよ」ということを考えようとしています。そういう時代に差しかかっているのだろうと思います。

人類の多様性

山極　遺伝的有効個体数というのがありますが、実は最近のゲノム研究で衝撃的な発見がなされました。狩猟採集生活から農耕へ移ったとき、世界の人口は八〇〇万人くらいいただろうと言われています。そのときでも、人類の遺伝的有効個体数は一万人にすぎなかったというのです。それはチンパンジーの約一〇分の一です。今チンパンジーは世界に――といってもアフリカだけですが――三〇万頭くらいしかいません。ゴリラはおそらく二〇万頭くらいだろうと思います。しかし彼らの有効個体数は人間の一〇倍あるのです。つまり、遺伝的に非常に多様なわけです。これから人類の一〇倍くらい個体数を増やしても遺伝的に劣性にならないのです。人間は今七六億人いるわけですが、それが有効個体数一万人であるということは、遺伝的にいかに均質な、危ない状態にあるかということになります。それを今共存させているのは、まさに文化的多様性なのです。それがあるからこそ、ここまで増えたと言っても過言ではありません。それを意識しなくてはいけないのではないでしょうか。

中沢　それはとても「有効」ですね。文化的多様性をどう実現するか。今はそれがとても乱暴なやり方で、反グローバリゼーションなどのかたちを取りながら出てきています。それは時代遅れと言って否定するようなものではなく、人類が現代の事態に古くからのやり方でもなんとか対応しようとしているのだろうとも思います。しかし、それを超えていくものが必要です。「人類の自然」というテーマはそこにつながっていくとき、初めて意味を持つでしょう。

山極　世界にはものすごく多様な自然がある。そしてそれぞれの自然に寄り添いながら、いろいろな儀礼が昔から行われてきた。日本も南北に長い島で、かつ六八〇〇くらいの島がありますから、そういうところでいろいろな祭礼や冠婚葬祭がそれぞれの伝統に沿って行われています。その多様性が日本をつくっている。世界規模で言えばもっとそうで、日本はその縮図のようなものです。そういうものをきちんと見直す必要があるのかもしれません。

中沢　食の多様性なんてのもありますよ。全国の魚河岸や市場を歩いてみると、あまりの多様性に驚かされます。そういう多様性はものすごく重要になってくると思います。

山極　考えてみれば、とんでもないことです。つまり、動物にとって食というものはその種を規定する一番大きな要素です。食を変えると、種が変わってしまうくらいですから。新しいニッチを占めるから新しい種ができてくるわけですが、新しいニッチを占めるということは、これまでとは違う食生活を送るということがなければいけないということになります。ところが人間の場合には、ホモ・サピエンスという亜種すらない均一の種でありつつ、食の多様性がこれだけ豊かにある。全世界でのニッチをどこで吸収してきたかといえば、食文化、すなわち文化なのです。そこが重要なのかなという気はしています。

2　人類史のその先へ

〝革命〟はヒトに何をもたらしたか

文化・文明と暴力性の関係

山極　昨年“Nature”に掲載された論文、The phylogenetic roots of human lethal violence（2016）は、全哺乳類の八〇パーセント近い科を対象にして、種内暴力によって死亡した割合が、系統的にどのように変化したのかを調べた最初の論文です。これが非常に面白い。哺乳類全体で言えば〇・三パーセント、つまり三〇〇個体に一個体くらいしか、暴力によって死んでいません。それが、霊長類とネズミやウサギとの共通祖先では一・一パーセント、霊長類とツパイとの共通祖先くらいになると二・三パーセントに跳ね上がります。ところが類人猿の共通祖先になると一・八パーセントに下がり、現代人ホモ・サピエンスの祖先も二・〇パーセントと哺乳類全体の六倍くらいです。つまり、霊長類になって暴力の割合が上がってきたのが、類人猿で下がって、人間の祖先はだいたいその比率のままです。その状態が旧石器時代くらいまで続きます。ところが、新石器時代、特に三〇〇〇年前以降、鉄器時代になると一五〜三〇パーセントにグンと跳ね上がります。以後は地域や時代によってその比率に大きな違いが見られ、一〇〇年前から現代にかけてまた下がっています。

この結果は何を意味しているのか。まず霊長類になって上がった理由は、恐らく集団で連合を組んで暮らし始めたということです。霊長類の集団は烏合の衆ではなく、それぞれが個体を認知して付き合っており、あるルールの下に連合体制が組まれています。それがテリトリーを持つようになって、集団同士の争いや集団をまとめるための種内の争いが、一般の哺乳類より少し増えました。ただ、類人猿になるとそうした暴力性は少し下がります。力による階層性の社会ではなく、平等な意識に基づいて争いを避けるようなルールができたからだと思います。その傾向が人間の祖先の時代もずっと続いています。つまり、人間の祖先はつい最近まで、ほとんど類人猿と変わらないような仲間意識や社会観を持っていたということです。そこから石器を使い、定住して食糧生産を始めると、戦士のような生業に関わらない職能人が出てきます。五〇〇〇年前になると君主制が登場し、三〇〇〇年前頃から鉄器が使われるようになって戦いの様式が一変し、文字が大きな伝達の手段になります。そのあたりから暴力が激化する時代になります。技術の進歩は武器や戦いの規模を拡大しますが、現代になってそれを抑制しようという政治的な動きが出始めて、倫理や道徳で暴力を抑えるようになりました。現代はむしろ、君主制の時代より暴力はずっと低く留められているというわけです。

要するに、文化・文明が暴力性を高めた。人間が文化・文明を持たない時代は、哺乳類よりは高いですが、ずっと類人猿や霊長類並みのレベルで、劇的に高くなったりはしなかったということです。この論文では結論を出していませんが、どんな文化・文明が人間の暴力性を高めたのかという疑問がわきます。また一方で、一体どんな倫理や制度が暴力性を低めているのかという疑問もあるわけです。

中沢　大変興味深い研究です。この研究では、旧石器時代を類人猿と同じスキームに分類しているようですね。

山極　だいたい同じくらいに分類していると思います。

中沢　私はずっと、前期の旧石器と上部（後期）旧石器の間に横たわる断絶の意味を考え続けてきました。もっと劇的に言うと、ネアンデルタール人とホモ・サピエンスの間にある断絶の意味です。初期の人類は旧石器を使っていますが、「認知革命」が起こった後も旧石器を使っています。きわめて長い期間旧石器を使っていて、新石器に移行するまでものすごく長い時間があります。しかし、この間に決定的な変化が起こっているのですね。もっとも重要な変化は旧石器の間に起こってしまった。

山極　認知の変化ですね。

中沢　脳の組織変化が起こった。ホモ・サピエンスは上部旧石器の初期に出現し、脳の神経組織に認知革命を起こす重大な変化が起こった。それにもかかわらず、ホモ・サピエンスは前期旧石器とあまり変わらない同じ生活形態をとっています。この論文を見ても、ほとんど差が出ていませんね。

上部旧石器の時代から新石器の時代へ移行してもなかなか変化が現れません。認知革命の結果が出てくるまでに、さらに長い時間を要しています。石器による分類と認知的切断には大きなズレがあるのですね。私などは「旧石器」という時代区分そのものに疑いを持っています。

認知革命が起こった後は現代人までひとつながりです。現生人類の特徴を持っているにもかかわらず、上部旧石器時代も農耕が始まる以前の新石器時代も、社会構造は暴力行為に関してほとんど同じパターンを示している。これは認知革命と暴力の関係についてとても興味深い問題を提起しています。

山極　人類の進化はそういうことの繰り返しです。あるとき出現したものがかなり後になってその効果を発揮する。認知革命において言葉が出てきたのは七万年くらい前だとすると、ヨーロッパに文化のビックバンのような現象が起こるのが三万年くらい前ですから、その間にかなり大きなギャップがあります。石器にしても二六〇万年前に登場してから数十万年も様式がずっと変わらなくて、あるとき急に変わります。そういう変化がすぐに効果を現すのではなくて、だいぶ経ってから実際面での変化が見えてくるようになる、そういうことを人間はずっとやってきた感じがします。

中沢　中石器時代にそれまでのさまざまな技術的・思考的集積をもとにして新石器革命が起こって、そのとき狩猟採集生活が一気にレベルアップします。しかしそれ以上に狩猟採集生活の人類と、農業を始めてからの人類はガラッと変わります。脳の構造に関しては同じであるにもかかわらず、上部旧石器と新石器の前期がだいたい同じということが何を意味するのか。

エネルギーの「保存」と再配分システム

中沢　世界観についても探ってみないといけないでしょう。この期間の重要な世界観や社会構造を構成する基本的なパターンは、神話的思考によっています。このような古いタイプの神話を集めてみると、人間と動物を一体にして扱おうとする主題が一般的です。人間は動物から自分を区別して人間になったけれど、いつでも動物になれるし、動物もまた人間の世界に入ってこられるという神話のパターンです。この思考方法の背後にどういう世界観があるのか。人間が自然から分離せず、いわば森のなかに埋め込まれているという世界観でしょう。

ここで「エネルゴロジー」という概念によってみますと、エネルギーについての原初的な思考は、神話的思考の頃から存在していました。このエネルゴロジー的神話では、森のエネルギー総量のなかに人間という存在は埋め込まれていて、そのエネルギー総量は人間と動物と植物の行為によって「保存」されるという思考です。人間が森の生物を狩猟してエネルギーを森から引き上げると、森の分が減ります。その減った分は儀礼や神話のかたちで森にお返しをする。人間の存在によってエネルギー総量の目減りを起こさせないというう考え方が神話的思考の基本になっています。つまり剰余が発生しないようなシステムです。

山極 reciprocity（交換）の思考ですね。

中沢 交換の思考はそういう「保存則」に適合的です。人間もそこに埋め込まれている。「人間＋自然の全エネルギー」が保存されているような宇宙ですね。ある意味でエネルギー保存のプリミティブな思考が実現されていて、森からエネルギーを取っても必ず返さなくてはいけないという思考方法が発達します。そのとき人間と自然の間の相互交流がスムーズに起こります。動物を獲るとアイヌのイオマンテのようにお返しの儀礼を行います。二〇世紀になっても残っていた狩猟採集民のフォークロアでは、森へ入って狩猟するときは、人間同士の言葉を制限するなど、ものすごく厳重なタブーが課せられます。一番デリケートなのはセックスに関わることです。森に入る前の晩に絶対に性行為をしてはいけないとか、森のなかに入ったらオナニーしてはいけないなどです。自分の身体からエネルギーを無駄に放出してしまったりすることはエネルギー総量を減らしますからね。狩猟をデリケートに観察してみると、エネルギー保存則のような思考が働いているのがわかります。それを表現しているのが神話思考で、人間と動物は兄弟であるとか、かつては人間と動物は同じであったとか、始原の状態では一体であるとか、そういう神話が思考全体をレギュレートしていた。上部旧石器から新石器時代の狩猟採集民の間にはこういう原初的なエネルギー保存則のようなものが強烈に働いていていました。

ところが、農業革命がこのエネルギーの保存則を破ってしまいます。小麦をまいて少量の粒からその一〇〇倍、一〇〇〇倍の穀物が発生するようになります。灌漑システムを効率的に使うようになると、狩猟採集民の世界とはまったく違うエネルギー状態が発生してきます。今まで人間をコントロールしてきた倫理や道徳、社会構造が制御できない余剰が発生します。そうして発生した余剰生産物の再配分システムをどうつくっていくかが問題になってきます。狩猟採集時代は動物を獲ってその体を解体して分配することにおいては、年齢差だけが重要で、あとは基本的に平等です。一定の保存されているエネルギーの配置を変えるだけですから、社会構造自体は変化しないでずっと持続できます。ところが、農業が発生すると同時に余剰生産物の再配分システムの構築が必要になってきます。そこに王が出現します。上部旧石器も前期の新石器も農業革命以後も認知構造から言うと同じ容量と能力を持った脳で世界をつくってきた人類が、農業とともに剰余価値の問題に直面します。

山極　まったくその通りだと思います。最近論文になった話ですが、食物分配はチンパンジーもゴリラもオランウータンも、人間と系統的に遠い南米のタマリンやマーモセットもやります。面白いことに、食物分配する種は必ず大人から子どもに食物分配をするわけです。起源的には、まず大人から子どもに食物分配をする必要性が生じてきて、その行為が大人の間に普及した、というのが理に適っています。ただ、大人から子どもへ分配する種は、子どもの成長期が長かったり、子どもが複数生まれたりして、母親に非常に負担がかかるという特徴を持っています。哺乳類はだいたい子育てをメスに依存していますから、子育て期間が長かったり、子どもがたくさんになったりするとメスに負担がかかるので、共同保育の必要性が出てきます。すると、離乳期にある子どもを母親以外の個体が預かるという事態が生じて、自力では食物を探せない子どもに食物を分配するという行為が生まれる。それが大人の間にも広まって、今度は単にひ弱な子どもを助けるというだけではなくて、大人同士の交渉の手段になります。それが基本的な狩猟採集社会だと思います。ただし、それまでは自分の体力だけで食物を集めていたわけですが、他者の力を借りるように変化していきます。脳が大きくなると過剰な栄養が必要になって、栄養価の高いものを集めてきたり、道具や火を使って調理をしたりするようになります。

人間がまず行った食糧革命は、食物を集めて分配することです。これはチンパンジーにもゴリラにもオランウータンにもできないことです。食物をその場で分配することしかなかったものを、集めてきて仲間に分配する。そこに交渉の余地が生じるわけです。自然界にあるそのままのかたちの食物の分布様式を、ヒトが自分なりに変えることができるようになる。それによって、食物を多く分配する相手、少なく分配する相手、分けない相手という具合に社会関係に反映させていきます。逆に食物分配の方法によって社会関係を変えることができるようになる。これが最初の「食物革命」だと思います。それから脳が大きくなって、栄養価が高い食物が重要になり、調理や火の使用が始まります。これにより消化率が改善されて、食物摂取や消化に時間をあまり取られなくなります。その余剰の時間を社会交渉に当てたわけです。そうすると、多くの人たちと多様な社会関係をつくれるようになって、社会が大きく複雑になります。これがもとになって認知革命が起こったのではないかと思っています。

人類の安定志向と投資の発生

山極 そこで重要なのは、現代の狩猟採集民は食物の分布を自分で変えて、社会関係を変えることに対して非常に大きな恐れを抱いているということです。それが今、中沢さんがおっしゃったことに近い話だと思います。変化をあえて抑制しようとしているわけです。例えばピグミーたちはわざわざ自分のものを使わずに他人のものを借りてきて、そのお返しに食物を分配します。つまり、食物を分配する理由をあえてつくるわけです。自分の槍や弓、ネットを使えばいいのにわざわざ他人のものを借りてきてみんなで食物を分けようとする。それが「平等主義」と言われています。先ほど中沢さんはエネルギーとおっしゃいましたが、摂取と消費のバランスを考えていて、しかも食物が社会関係にすごく大きな影響を与えるということを知り抜いているからこそ、そういうことが起こるのだと思います。まさにそこを農耕牧畜革命は変えたのです。

中沢 農耕牧畜革命がメソポタミアないしトルコで起こったとき、その様子を周りで眺めていた狩猟民のなかには、農業に対して軽蔑的な人たちがかなり多かったのではないかと思います。日本の場合でも、縄文の末期にいわゆる弥生文化が入ってきたときの縄文人の態度を見てみると、東日本の縄文人は稲作に対して軽蔑的な態度を取っていたようです。そこから類推してみるに、狩猟採集民も能力としては農業へ移行する可能性は大いに持っていたにもかかわらず、それを抑制するものが強く働いていて、農業を採用した人たちを軽蔑する心理があったのでしょう。

先ほどの論文の話と重ねてみると、類人猿以前の霊長類からほとんど変わっていないということは、類人猿にしても、認知革命を起こした人類にしても、能力的にはその段階を抜け出ていく能力を持っていたということでしょうね。にもかかわらず、何万年間もその発現を制御し抑え続けるものがあったということです。認知革命によって脳のなかに発生した爆発的な能力がストッパーを外して展開され始めたのは、農業以後ということであり、狩猟採集時代にはその能力を抱えているにもかかわらずそれにストッパーをかけたり抑えたり、お祭りというかたちで放出してしまったり、神話のなかで矛盾を解消するというやり方を長いこと続けたのだと思います。

山極　それは安定志向だと思います。おっしゃったこととすごく重なりますが、何か変化をもたらしたらその変化の埋め合わせをする。変化自体をそれほど喜ばない。狩猟採集では食料は天からの恵みであって自分の力ではどうにもなりません。何か獲ってきたらそこに欠落が生じる。それに対して何か埋め合わせをするようなことが起こらないと世界は安定しません。世界を変えてはいけないという志向が、狩猟採集民の心の奥底にあります。それが農耕を始めるときに大きな抵抗になったのだと思います。

しかし、農耕を起こした人たちは、あえてそれを始めた。はじめは大した収穫物はなかったと思います。ただし、飢饉や大きな気候変動などが起こったときには、食料ストックが思わぬ役に立ったかもしれません。それで生存率に差が生じる。とりわけ集団密度が高くなったらもう引き返せない。

その効果が徐々に現れてきたということなのか、人類は変えることが大きな利益をもたらす可能性があるということに気がついてきます。そこから一足飛びに産業革命に行くことはないと思いますが、現代資本主義経済の志向は将来に投資をするということですよね。投資をしなければ元のまま。留まっていてはいけない、安定していてはいけない、安定は悪だという考えがどこかに潜んできたわけです。

中沢　農業革命において投資という考え方が発生するのですね。種をまいて投資すると、増殖した利潤を孕んで戻ってくるという発想です。それは今の資本主義を突き動かしている思考方法とまったく同じです。

山極　恐らく段階的に進んできたのはエネルギー革命です。つまり、もともとの安定志向に変化を起こして、次に何か収穫物をたくさん得ようとすれば、技術革命を起こさなくてはいけません。そうしなければ収穫物は多くならず、一定の収量では次の投資ができないので収量を増やさなくてはいけません。土地を拡大したり土地を耕す人を増大したり、家畜をたくさん飼ったりしなくてはいけません。産業革命までは基本的に畜力と人間力と水力だけで農業をやっていました。それが蒸気などの科学の技術によって、大きなエネルギー革命が起こったことが、また飛躍的に人口を増大させました。階段をどんどん上がっていくような感じなのでしょうね。

意味の増殖と過剰の縮減

芸術と宗教の誕生と変容

中沢　認知革命が起こった脳では意味増殖が起こります。言語で言うと比喩による言語が発生するようになって、一つの意味を一つの外界の対象に同定しなくなり、ズレが発生してきて、そこから意味の増殖を可能にする脳が活発に動き出す。そうすると夢を見る無意識が発達する。

そのとき人類が何をやったか。芸術と宗教です。洞窟祭祀が発達し始めて、人間の脳のなかで爆発的な増殖活動を行う意味増殖を、宗教と芸術のかたちで処理していくことになる。洞窟祭祀では、社会が二つに分かれます。一つは洞窟の外の家庭生活のある空間で、そこには女性や子どもなどの家族がいて、岩くぼのシェルターが生活の場所です。しかし、イニシエーションの祭儀では男たちは森に入って、女たちの目から隠している洞窟に入っていきます。洞窟はかなり長く巨大なもので、そのなかで秘密祭祀をやった。秘密祭祀の痕跡を調べてみると、巨大な絵画や洞窟音楽を行っている。脳のなかの爆発的な部分を音楽と儀礼によって処理して、終わると外に出てきます。このイニシエーションのパターンを通して、社会生活に必要なモラルと、それを超えた神など超越者についての知識の両方を教えています。超越領域から日常領域に帰ってくるという繰り返しを行うことによって、認知革命が発生させた爆発的な精神に生じた自由空間を処理していました。その祭祀の形態は長く続きます。上部旧石器に始まり、新石器時代の狩猟採集時代でも、だいたい同じようなことを続けていました。

ところが、農業と都市が始まったとき、どうも宗教と芸術が根本的に変わったという印象を強く受けます。最初の農業による都市文明チャタルヒュユクなどの遺跡を見ると、畑は町の壁の外にあり、城壁を巡らせて家を隣接させせながらつくっていきます。いくつか小規模な神殿がありますが、一見すると洞窟祭祀と似ていて、壁から動物の像が突き出てそれがテラコッタで立体的に表現されている。その像は、かつて洞窟のなかで脳構造に発生した過剰なものを消費していく――バタイユ風に言えば「蕩尽」ですね――というよりも、むしろマニエリスムのように静止的で、一種の記号のようなものに変わっているという印象を強く受けます。

山極 チャタルヒュユクは何年前くらいの遺跡でしょうか。

中沢 九〇〇〇年前です。

山極 まだ文字が発生していない頃ですね。

中沢 しかし都市生活の基本はもうほとんどできていて、灌漑農業も完成しています。その時期の遺跡には、宗教がエネルギーを一定に保ちながらハーモニックな世界をつくろうとしていた旧石器や新石器時代の安定した生活形態と類似した課題を見ることができます。しかしそれは表面的なことで、実は人類がそのとき大きな変化を受けて、われわれの知っている宗教が始まっていますが、見ようによっては、宗教はここから先はダメになる、という予感がします。

山極　私は言葉の発生と宗教の発生は非常に近い起源を持っていると思っていますが、言葉というのはひょっとしたら暴力を抑えるものだったのかもしれません。

現代の暴力を起こす人間の年齢層を調べた人たちがいます。それによるとそのピークになっているのはほとんど一〇代の終わりから二〇代の初めなのです。これはまさしく思春期スパートの直後です。

中沢　思い当たる節がいろいろありますねえ（笑）。

山極　成人儀礼などは思春期スパートの最中かその直前にあって、暴力が噴出する前にそれを抑える修練を、人間はかなり古くからやってきたのではないでしょうか。それは言葉によってというよりも身体に刻印するような儀礼です。例えば抜歯や刺青、あるいは何らかのトライアルをして、その精神をみんなで合意するというようなものです。これは男に対して行われてきました。先ほどの思春期に暴力を起こす話も、ほとんどがその時期の男です。これは人間が持っている文化的な背景ではなく、生物的な背景です。思春期スパートがなぜ起こるかというと、脳の成長を最初優先して身体の成長が遅れ、一二歳から一六歳くらいで脳の量的な大きさがストップする時期に身体の成長がアップするからです。これは女性よりも男性のほうが顕著に発現します。その時期に心身のバランスを崩して野心的な冒険をしたり、トラブルに巻き込まれたり、破壊的なものに欲を感じたりします。その時期の男たちがきちんと社会に定着しないと、社会は安定して運営できないので、長老たちが経験をもとに若者たちを教育するために、思春期スパートの時期かその前に森に入って、人生訓を施します。そして成人儀礼をやる。成人儀礼は基本的に女から認められるための儀礼です。要するに子どもを残す権利を与えられるようなものです。そこで社会的にきちんと組み入れられるということが起きます。そういう社会の形式が生まれたのは、恐らく狩猟採集時代に認知革命が起こった前後くらいではないかと思います。

それがだんだんと崩れ始めてきた。社会の規模が拡大してきましたから、その時期の若者たちが職能集団に組み入れられたりして、そのルールのもとに戦ったり武器をつくったりするようになりました。職能集団に分かれていろいろな発達を遂げるようになる時期が到来したわけですが、それは恐らく余剰が起こる農耕革命以降だと思います。

中沢　神話は過剰を減らすというのが重要な機能です。原初のカオスにコスモスが発生するわけですが、コスモスは数を減らしたことで生まれます。最初空に太陽は四つあった。その四つの太陽を一つにするといったように減らしてコスモスの秩序が生まれます。人間の身体に刻み込むかたちで言えば、抜歯は自然状態の数を減らすという意味合いが大きいです。それはいろいろな身体的トレーニングと一緒に行われます。神話はある意味では自然状態から文化への移行であって、数を減らすという方向で語りますが、もう一つの神話機能があります。それは、減ったものがカオスに戻っていくというのを描こうとするものです。イニシエーションの儀式も、だいたいこういう二段構えでできています。

山極　私はそれ以前から食物の分配などのように交換の原理はあったと思いますが、言葉によってそれが節約的になったと思っています。あるものを類として言葉によって象徴できるようになって、数を減らしました。個々に違うものを「等価」という言葉上のバーチャルな等価にして交換できるようになりました。それがすごく大きい。自然界に起こった欠落を別のものによってお返しする。もちろん神がいたのでしょうが、そういうことが可能になった。

私はホモ・サピエンスの脳が大きくなっていないということに、重要な意味があると思っています。人類の脳容量は四〇〜六〇万年前、ホモ・サピエンスが登場する二〇万年前よりずっと以前に現代の大きさに達しているからです。おそらくホモ・サピエンスでは、頭のなかで覚えなくてはならない記憶の類というのを、整理して外に出してしまっているので覚える必要がなくなりました。ものに象徴させて、それを見たら思い出すように出来事や世界のいろいろな現象をそこに封じ込めたわけです。そこからものとものとの関係、あるいは価値観について合意し、それを表すシンボルを共有するために、他者の脳と自分の脳がつながった。脳がつながったのは大きな事件ですが、脳がつながったということが実際に利用されるのには時間がかかった。つながった結果として表に成果物が出てくるのは、何万年か後だったと思います。

中沢　縮減が起こると、ある一つのものを覚えるのに一個一個全部覚える必要がなくなり、ある一個のものと共通する部分を記憶しておけばよくなります。共通した部分は「ゼロ」です。一個一個の個体性の情報をそこにつけ加えれば、元のものが復元できる。そういう脳の働きが発達できます。数学風に言うとホモロジーですね。

山極　ただ、その頃はまだ現実にものがあったわけです。幾何学から始まった数学の歴史もそうだと思いますが、最初は神の業を説明するための論理でした。必ず現実のもの、あるいは現実の現象をもとにして、まさにホモロジーで考えていたわけです。ところが、あるときから自然のものではないモデルをつくって、そのモデルを通して自然を解釈できるようになった。これが認知の変化としてはものすごく大きいです。

実はそれに文字が絡んでいるわけですが、その変化は結構急速に、恐らく数百年くらいで起こったと思います。その前に文字が、紀元前六〜七〇〇〇年頃に発明されますが、文字が最初に使われたのは恐らく通商においてだと言われています。要するに証文みたいなものです。メソポタミアやエジプトで発明されて使われ始めて、それが自らの考えを紡ぎ出すようなツールになるにはもうしばらく経たなければなりません。

神・宗教と（非）暴力

神を生む能力

山極　ジュリアン・ジェインズの『神々の沈黙——意識の誕生と文明の興亡』〔紀伊國屋書店〕というとても面白い本があります。歴史学者や認知心理学者たちにはまったく信用されていませんが（笑）。

中沢　どうしてなのでしょう。私はすごく面白い本だと思うのですが、確かに信用されていない（笑）。

山極　その本のなかでジェインズは、『イーリアス』と『オデュッセイア』という叙事詩の間に、人間の認知様式が大きく変わったと主張しています。

中沢　設定がちょっと新しすぎるのかな。

山極　この本では次のような主張がなされています。それまでヒトは神を想定して神の命令、あるいは神の考えていることを右脳でやっていた。『イーリアス』では誰も自分の意思で行動しない。ところが、『オデュッセイア』になると、「自分」というものを意識し始めることで自分がやったことを反省できるようになり、自らの意思で行動を起こせるようになる。それが左脳の進化だというのです。ただ、この変化はもっとずっと前から起こっていることだと私は思います。

中沢　それをギリシア神話でやってしまったのがまずかったのかな。

山極　ただ、文字がそれをすごく強力に後押ししたことは事実なのではないでしょうか。それまではもちろん話し言葉だけだったわけですが、そのなかで例示をすること、起こったことをそのまま今の出来事に当てはめて解説する——まさにホモロジーです——ことが基本だったのではないかと思います。まさに預言者たちには神々が考えたことを伝える使命があったわけです。それが変わって「自分」というものが物語の中心に座り出す。自我の形成というのはかなり近代的な現象かもしれないわけです。

中沢　預言者は縮減の考え方で言うと、いわば世界をゼロとして扱う思考領域がものすごく広大にできている思考方法をしている人のような気がします。千差万別の多様性でできている世界の根底を統一している、一の神というものを頭のなかで理念化できる能力は、縮減化能力が極限的に膨らんでいるものとも言えます。

神が発生したのは、縮減能力のなかでゼロとして扱える領域が人間の心のなかで拡大してきたからではないでしょうか。預言者は現実世界で起きてくる小さな出来事の記号から大きな未来のことを予測しますが、そういうことが可能なのは、全体を圧縮して包み込んでいる「神のゼロ」というものを非常に大きく含んだ思考方法だからでしょう。これがある意味どんどん拡大していきます。そうすると、いわゆるブッダの思考方法であるとか、一神教の思考方法もそこから発生してくることができるようになります。これは物事を理念化して考えることができる能力です。これも、認知革命から発生している脳の変化のなかから理念化が発生したということなのでしょう。

山極　そうすると、大体同じ頃に世界の大きな宗教が発生したというのは、そういう思考方法と何か関係があるのでしょうか。

中沢　あると思います。どの大宗教も農業や帝国とほぼ同時期に発生しています。

ブッダの非暴力・非生産・非意味

中沢　ただ仏教だけが風変わりな性格を持っています。

仏教の起源を気になって調べていたのですが、例えばブッダは「自分は最初の覚醒者ではない。自分の前に七人いる」という言い方をします。ゴータマ・ブッダという人はインドというよりもネパールの山岳地帯の小さな部族国家の王子様でした。インドの広大なマガダ国という大帝国の端っこにいました。ブッダは、仏の智慧とは部族に伝承されている叡智の流れだという言い方をします。この叡智の流れとは何かと考えてみると、農業革命以前の思考方法ということではないか。

ブッダの僧伽（サンガ）の構造を見てみると、理念的には平等が基本です。当時の農業革命以後の社会は格差社会ですし階層性が発生しています。インドではカーストまで固定し始めている。そういう世界のなかで、ブッダは僧伽というそれ以前の共同体の構造を言い始めました。そこから絶対非暴力を唱えます。

そういうことを考えると、山極さんの人間の本性は暴力的ではないという、暴力の発生に関する考え方の意味がクローズアップされます。なぜブッダが非暴力を唱え出したのか。それは非暴力が農業革命以前の人類の本性であったからではないでしょうか。

ブッダはさらに生産しないことを主張します。お布施で生きるのですね。つまり、生産せず、暴力を用いず、言語に関してはものと言葉の対応を膨らませる用法を禁止する。ある意味では比喩によってどんどん意味を膨らませていく言語の使用方法も禁止するというのが、ブッダの宗教です。これは当時の一神教の宗教の考え方とは多くの点で異質な考え方です。

山極 確かに僧伽はいつでも入れるしいつでも出られるわけですよね。しかも家族を否定しない。もちろん、僧伽に入ってきた人はセックスを禁止されているので家族を持てませんが、外に家族がいて、お布施を家族からもらうのも全然問題ありません。そういう行き来が楽だったというのもあるし、階層性がないというのがすごく大きい。あれは完璧に年功序列だそうですが、上に上がることに欲望を感じない組織です。それは面白いなと思います。

中沢 ブッダがどういうところで説教していたかというと、都市の周辺でした。かといってブッシュには入っていきません。都市からはお布施をもらっても自分では入っていかないという、境目のようなところを行き来していくことを考えてみると、農業革命以後の大都市・大国家発生のときに、あえてそうした宗教がブッダの宗教として起こったことには大きい意味がひそんでいると思います。そこで説かれた理想は、生物学が今解き明かそうとしている人間の本性と深く関わりがありそうですし、すごく示唆的なものを感じます。

山極 モーゼにしてもキリストにしても、一神教は求心力が強すぎます。そこにあまりにも強く向かいすぎているがゆえに、自分のやっていることというのが自分と相手との間に起こったことというより、すべて天上界の神を介して評価付けされて相手に届くことになる。相手からのものもいったん神を通して自分のところに届くという形式を取っています。一方、仏教はそうではありませんよね。そこが大きな違いなのではないかという気がします。

中沢　その通りですね。

プリミティブな暴力への回帰

狩猟と殺戮、そして言葉

山極　再び暴力の話をさせていただくと、相手を殺傷することが、自分と相手との関係に終始するのではなく、神の手や神の命令による、あるいは神に讃えられるためにやるというような、私から見れば自己の責任の逃げ道をつくってしまっているのがある種の一神教の常套手段のような気がします。

中沢　旧約聖書の冒頭部は殺戮の記録に満ちています。モーゼがシナイ山で十戒を受けて下りてきたら、せっかくエジプトから脱出させて連れてきた仲間が黄金の牛の像——それは先ほど言ったチャタルヒュユク風の新石器風の宗教です——をつくって拝んでいた。モーゼは怒って像と十戒の石板を破壊します。そして彼は自分についてくる者とそうでない者を二つに分けて、三〇〇〇人ほどの人を殺戮しました。山極さんがおっしゃったように、神のレギュレーションとして大量殺戮を行うことが可能になってしまっています。

山極　私がよく例に出す話ですが、『２００１年宇宙の旅』という映画の冒頭の「夜明け前」というシーンで、モノリスという直方体の物体が宇宙から下りてきます。そこから霊感を受けた猿人が獣骨を手に取ってそれを武器に狩猟を始めます。あるとき、水場を争っている集団同士が出くわしたとき、その武器を持っている男が今度は狩猟ではなくて同じ人間の他の集団に対して武器を使います。それによって一つの集団が他の集団を支配するということが始まります。それがまさに今の人間に至る原罪だと、あのシーンは語っています。そして、投げられた骨が宇宙船に変わって暗い宇宙に浮かび、その宇宙船のなかでＨＡＬという今で言うＡＩが自らの意思を持ち、人間の宇宙飛行士が反逆されるようになるというストーリーです。

あれは実にうまくできていると思いますが、大きな間違いは、狩猟と人間の戦いを混同させたことです。経済行為である狩猟の技術を、人間同士の戦いに用い始めたのは、現代に近くなってからの現象です。また、石器が出てきていない猿人の段階から武器をつくったわけがないというのがそれまでの定説でしたが、この映画のシナリオの元になったのはレイモンド・ダートという先史人類学者の仮説です。彼は猿人が石器として残らない骨や歯を道具として使い、それを殺傷力のある武器として使って狩猟を行っていた、つまり、二〇〇万年前にすでに人間は骨を使って動物を狩猟していたのだという、骨歯角文化説を提唱しました。そして、その同じ武器を人間に向かって当時すでに使い始めていて、人間同士はあの当時から殺し合っていたという、狩猟仮説に発展したわけです。

その後、それは間違いだということが二つの学問分野から証明されました。一つは、先史人類学者のチャールズ・ブレインらが、ダートが殺し合いの証拠とした頭骨に開けられた二つの穴は、獣骨によってつくられたのではなく、ヒョウの牙によってつくられたものだと指摘しました。また、ダートが武器によって破壊されたと主張した人間の下顎骨は、洞窟の落盤の衝撃で潰されたものだということが証明されました。人間が殺傷力のある道具を用いて狩猟し始めた証拠はせいぜい五〇万年前で、それ以上は遡れないのです。もう一つは、霊長類学から出てきた話です。人間以外の霊長類でも動物を狩猟する種はいます。ヒヒもチンパンジーも時々狩猟をします。しかし、狩猟のために群れや社会をつくっているという証拠は一切ありません。むしろ彼らは狩猟する側ではなくハンティッド、狩猟される側なのです。人間が武器を使って狩猟するようになっても武器は小さいもので殺傷力は弱く、大型獣はホモ・サピエンスにならないと仕留められなかったと思います。さらに、その武器を人間に対して使った証拠は一万年くらい前まで一切出てきません。狩猟という精神的世界と、人間同士が戦う殺戮という精神世界は別物なのです。

スティーヴン・ミズンの言葉を借りるわけではありませんが、狩猟を効率化させ、獲物を確実に仕留めるという技術が、そのまま人間に対して向けられるには、狩猟と人間の殺戮という二つの精神構造を媒介するものが必要です。それが合わさったのは言葉によってです。言葉がそれを等価にした、あるいは同じような行為として定義づけたわけです。言葉ができるまではその混同は行われなかったと考えるのが正しいと私は思います。

ではなぜ言葉がそういう異なる精神世界を一緒にしたのか。それは農耕牧畜の発生と非常に近いあたりに起源があり、生産様式が絡んでいるに違いないと思います。神というものができるのは恐らく農耕よりもっと前だと思いますが、農耕という投資によって得られる収穫物は、神によって授けられたものであり、その神によって授けられたものに対するお返しをしなくてはならなくなる。あるいは、自分たちの繁栄は神に認められたものであり、どこかで自分たちではない力が働いてそれが行われるという考えが出てくる。狩猟に使われた技術が、神の力を介して人間に対して使われるということが、農耕牧畜で現れた認知の変化を通して可能になったのではないかと思います。

中沢 首狩りという種族がいましたが、この首狩りという行為が例外的な行為なのか普遍的な行為なのかはまだ明らかにされていません。台湾やニューギニアの先住民たちは、若者がイニシエーションでまともな男であると認められるには首を獲ってこなくてはいけないという考え方をします。ポリネシアでも行われていたし、ことによると日本でも行われていた可能性があります。首狩りとは何なのか、それは戦士集団が戦争をする問題と同じに捉えてよいのかどうか。

なぜ頭部を獲るかを考えてみると、これはエネルギー保存をめぐるサピエンス型思考と関係があるのかなと思います。人間の生命力は頭部に宿るという考え方はかなり普遍的な考えです。それは農業が始まってもずっと残っています。例えば capitalism という語に含まれる capital の元は、ラテン語の caput ＝頭です。古代ローマの言葉を調べてみると、caput という言葉は男の精力、あるいは政治家の政治力のことであって、要するに力の集合場所が caput だという考え方です。そしてこれは後々の発想になってくると思いますが、力のある部分を獲ってくることによって一人前の大人として認められる、ということになります。これは先ほどの若者の暴力性と深く関わっていて、人間に内発してくる暴力性と、他人の生命力の集合場所である頭を獲るということのすり替えが起こっています。首狩りの習俗をもって人間の農業革命以後の集団暴力の起源とは認められないのではないか、両者は違うものなのではないかと私は考えています。

現代の戦争の性質

山極　大きく変わったのは生殖に関する考え方だと思います。今と昔を比べることは到底できませんが、狩猟採集社会は人口が全然増えていません。それはもちろん死亡率が高かったということがあると思いますが、衛生状態から言えば農耕社会のほうがよっぽど悪いわけで、幼児死亡率は農耕社会のほうが高かったと思います。しかし、それ以上に生産したわけです。産めよ殖やせよ、たくさん子どもを持て、ということが、農耕という生業形態に必要だったわけです。なぜかというと、農耕は単純労働なので、子どもでも女でも男でもみんな同じことができるわけです。狩猟は高い技術がいるし、経験に応じた予測が必要です。もちろん共同行動もありますが、基本的にアーチャーもスピアハンターも二、三人で済みます。ネットハンティングは女も子どもも参加してみんなでやりますから、本来の狩猟とは言えない。むしろ罠に似た話です。狩猟採集社会では子どもがたくさん必要にはならない。農耕社会ではどんどん生み育てるということが尊ばれるようになります。そこが二つの生業様式の間の非常に大きな生殖観の違いだと思います。

　セックスにおいてもかなり性的なイメージが強くなります。子孫をたくさん残すために性に貪欲になる。戦争によって女をさらってくるというのは結構ある話ですよね。

中沢　ギリシア神話や古典期の西洋絵画では、女性をさらうテーマがとても多いですね。「〇〇の略奪」というテーマの絵が非常に多い。一時期のイタリアやフランスの絵画では女の略奪に関するギリシア神話を題材にしたものが増えています。

山極　私はアフリカで実際に地元の部族紛争を何度か経験していますが、最近はすごく女性がさらわれます。例のナイジェリアのボコ・ハラムによる事件もそうですし、コンゴの東でも若い女の人がさらわれます。ちょっと前まではそういうことはなかった、こんなことは最近になってからの出来事だと、現地の人は言っていました。ですから、最近は戦いの性質が明らかに変わってきて、むしろプリミティブになってきました。昔は女子どもには手を出さないというのが戦いの暗黙のルールでした。ですから為政者が代わっても、ある意味安心していられたという話です。

中沢　最近のアフリカの戦争では女子どもをさらって戦士にしたり、セックスパートナーにして子どもを生ませることがひんぱんに起こっていますね。ユーゴスラヴィア解体のときにボスニア・ヘルツェゴビナで戦争が起こりましたが、あのときも女性をさらってきて民族浄化と称して数を増やすことに男性戦士たちが大変な熱情を持ちました。これは人間が戦争のやり方や目的に関しても進化しているわけではなく、むしろプリミティブなものに戻っている予兆なのだと思います。

山極　ルワンダの民族浄化のときは胎児を引きずり出して殺していましたが、これはまさに浄化で、敵対民族の種まで根絶することが目的になっていました。ただし、他の紛争では、反政府ゲリラは女の子をさらって自分たちの子どもを産ませて、その子どもたちを戦士に仕立て上げて戦わせているでしょうから、これは「産めよ殖やせよ」なのです。それが戦力の増大にもつながるし生産力の増大にもつながります。子どもを殖やすことが生産力と武力の増大につながるという思想が、どこかで生まれているのです。それは狩猟採集民にはなかった話だと思います。

個と種の変容のゆくえ

なぜ、どのように、「歴史」を書くか

中沢　最近は、『サピエンス全史――文明の構造と人類の幸福』〔河出書房新社〕など、「全史もの」が書かれるようになっています。その一つの原因はインターネットだと思います。エルサレムの大学にいても、考古学などの膨大な情報を集めてきて全史を書くことができるわけです。今のところは『サピエンス全史』が一番古くまで遡ったものですが、われわれが学生の頃はそういうことをやったのはトインビーでした。トインビーの歴史を見てみると、古代ギリシアの神話が出発点になっています。暴力と歴史がそこでは一つに結びあっている。

歴史とは何かと考えてみると、人類史の流れで言うと、農業革命とともに始まります。「歴史」という剰余生産物が発生してしまって、どこにも返しようがなくなってしまった。自然にも返せないし、腐敗させることもできない。人間に平等に分配することも叶わなくなったところで、この分配システムが、マルクス的に言うと「社会関係」や「生産関係」が、安定しなくなる。それを「歴史」と呼んだわけですね。ですから「ここで世界史が始まる」とヘーゲルが言うとき、そうした過剰が始まったことを歴史の起点として認めたということを意味しています。反対に、歴史以前の状態、つまり先ほど言ったエネルギー保存則のなかで循環的に動いている世界は、ヘーゲルによって「アフリカ的段階」と呼ばれました。アフリカ的段階の上に歴史がくっついてくる。トインビーは、古文書をいろいろ読んで、文書記録で「世界史」の構想を立てたわけです。ベルリンの壁の崩壊により「歴史の終焉」が言われてから、歴史を書くことが流行っています。今の人間のやることに新しいことはなくなったようだから、歴史を書くことが気軽にできるようになったとも言えます。そこで一番遠くまで球を投げてやろうと思った人が『サピエンス全史』を書いたわけです。しかし、それを「サピエンス全史」と言うからには、認知革命以後の人類史をもっと正確に書かなくてはいけません。先ほどから山極さんと私が話しているように、上部旧石器社会から前期狩猟社会まで、類人猿からの長い進化過程を使って認知革命を起こした頭脳でもって社会運営を続けてきた。そして農業革命をもって初めて歴史が発生する。そういうことを考えると、歴史ということについて、『サピエンス全史』の著者はナイーブな考え方を持っているように感じます。

山極　私は生命科学の急速な発展が一つの追い風になっていると思います。今、歴史と言うときに、人々は個体としての人間史を辿らないと生命観を認識できなくなっているのです。つまり、これまでは「種としての自分」「歴史のなかにいる自分」でよかったのに、今は社会的にも政治的にも個人がいろいろなものに晒されているがために、ある「歴史のなかにいる自分」が感じられない。社会変動のみならず、気候変動や地殻変動に自分というものが直接裸で晒されているという実感があるにもかかわらず、自分という個人史を辿っていったとき、自分の体を構成している本性とは何か、何を欲望し、何を抑制し、何を喜びや悲しみとして生きていったらよいのかがわからなくなっています。とりわけ生命科学が発達したことによって、チンパンジーと人間の近さがわかってきました。そこで、では人間とは一体どういう存在なのかというところまで遡って考えなくてはならなくなったのです。

種の希薄化と自然科学

山極　これは前回もお話ししましたが、今われわれはいろいろな病気に晒されています。しかし、その病気にはチンパンジーはほとんど罹りません。なぜ罹らないかというと、彼らは自然淘汰をきちんと受けてきているからです。一方、人間はボトルネックを経て、子孫を残すことに貢献した有効集団がおそらく数千人から一万人くらいに減っているので、自然淘汰よりは遺伝的浮動を受けて、結構ネガティブな遺伝子が現代に残ってしまっているのです。先ほど言った一万年前は、人類はだいたい五〇〇万から八〇〇万の人口でした。そして祖先の低い遺伝子多様性のままに七〇億になり、しかも畜牛一五億頭、山羊、羊、豚それぞれ一〇億頭など、人がつくり出した動物たちで世界の資源を食い漁っている。人も家畜もこれほど均質な遺伝子で生き残っているなんていうことは、野生動物では考えられないことです。

今、ゲノム編集という生命科学の技術によって、命の革命が起ころうとしています。人間を強くしようという先端医療もその一つです。この発想は、人間はもともと遺伝子的には弱いということが前提になっています。子宮内膜症や心筋梗塞やエイズ、アルツハイマーなどの病気にチンパンジーは罹りません。人間が持っている遺伝的な弱さがこういう病気を引き起こしているのです。とりわけ老年期にそれが頻発します。ですから、寿命を伸ばすためにあれこれやるというよりも、そういう病気の治療で遺伝子を改変するほうが早いという話になってきているのです。それが一つの生命観の基盤になっているのですね。ゲノム編集をして人間をどこまで変えていけるのかというのはまさに生命倫理の問題ですが、それが今、人間の生命としての歴史を遡って、人間の進化の実態を確かめないといけないという話につながっているのです。歴史だけ見ていては人間の身体はいじれないですから、もっと遡らないといけない。

中沢　歴史というのはそれこそ history ですから、物語です。思想の世界のなかでは「大きい物語は終わった」なんていう言い方がなされていましたが、今はもっと深刻に物語は解体しているのでしょうね。

では、物語とは何なのか。ある意味で言えば、個と類を結ぶ種についての論理、すなわち「種の論理」ではないかと思います。今は人類と個とが、間の種を飛ばして直結している時代で、それを生命科学がつないでいるという実感があります。ところが認知革命を経て出現した人類というのは、ある意味種の部分を拡大することによってホモ・サピエンスたりえたと、私は思っています。例えば、個体と類の間をつないでいるものといったら、意味の重層性であるとか、ニューロンの連想接続とかで、これらは認知革命によって発生した能力です。そしてそれが種の論理を発動させ、神話になったり儀礼になったりして、人間の社会を長い間コントロールしてきたわけですが、この種の空間が今、非常に薄くなっています。現象面で言っても、文化的多様性が薄くなっています。

そこで見えてくるのは、個人と地球上の人類の全体の動きが直結しているという事態です。変動していく気候とも直結しています。シリアで起こっている軍事行動も直接個人に響いてくる。ことほどさように、間をつないでいる種的なものが非常に希薄になっています。それを推し進めてきたのが自然科学の方法だったのでした。

先ほど山極さんがおっしゃったことは非常に重要で、個と類が直結している現在の世界のなかで人類の意味を考えなければいけなくなってきた。そのときに、ヒストリーとしてのヒストリーがこれからも意味を持つだろうか。そう考えると、ベルリンの壁崩壊が「歴史の終焉である」と言われたのは、まんざら嘘ではなかったなという気がするのです。

山極　それは社会の動きと連動していると思います。例えば今、コミュニケーション革命が起こっていて、ツイッターやフェイスブックなど、個を中心としていろいろなネットワークを自分で自在につくれるようになりました。まさに個がいろいろな社会と直接向かい合っているわけです。それまでは、家族なり地域社会なり組織といったものを介して付き合えたわけだし、自分のほうに降ってかかってくる影響をどこかのフィルターを通して薄められました。それが今は全部個に直接来るようになってしまった。

生命科学の話で言えば、今、人間よりも家畜や野菜の改変が先に進んでいます。もはや種の領域を超えて新しい生物が生み出されています。そのときに、動物や植物を種としてではなく生産物、つまり工業製品としてしか捉えられなくなっているわけです。その技術を人間に応用すれば、人間という種もキメラになっていきます。例えば、人間と身体構造や臓器の大きさが似ているブタを利用して、ｉＰＳ細胞を使って人間の臓器をつくり出し、移植したりすることがもうすぐ可能になりますし、すでにそういう実験が始まっています。そういう時代ですから、身体というものが、生まれたときから連続したものではなくなっていきます。どこかで遺伝子的に操作されたものが合体して人間をつくっていく、そういう時代が来ます。

一方ではＡＩ技術が盛んになっていて、人間はせっかく脳と脳でつながるようになったわけですが、今度はＡＩを介して人間の知識を移し替えることができるようになります。これまで人間が一生のうちに積み重ねた知識は、人間の個体としての脳のなかにあって、その個体が死ねばそれで終わりでした。ところがＡＩが全部それを吸い取ることができるようになります。そうすると、人間の個体は死んでも、その人が生きた記録の一切をＡＩのなかに移し替えて、生きることができるわけです。そうすると、脳と脳でつながるというのは、まさにコミュニケーションツールを通じてつながっていたわけですが、今度はＡＩのなかで複数の個体が混じり合うような話になっていくかもしれません。つながり合うどころか、合体してしまうのです。つまり、個と種という問題が個に収斂されて、いずれは個がなくなる。そういう時代がもうすぐ来るかもしれません。

中沢　生命科学を含めた自然科学の方法によって、種の空間が非常に薄くなり、個自体がキメラのような状態になっていく状況がつくり出されています。認知革命によって出現した人類の脳の構造自体は、いわゆる縮減の能力を可能にしたわけですが、この能力は二つの方向性を持っています。一方では科学的な思考方法に行きます。もう一方では意味の多様化を可能にし、文化的多様性を形成する可能性もつくっています。この脳が、長いこと文化的多様性をつくるための機能として働いてきました。ところが農業革命以後、歴史という危険なものが始まり、数千年を経て今、種的なものを解体していく道に突入しているというのは間違いないことでしょう。

山極　もともと人間は一種で非常に多様な地球環境に足を延ばして分布を広げました。一般の生物ならば、違う環境に適応すれば身体が変わるわけです。けれど、人間は身体を変えなかった。

中沢　むしろ環境のほうを変えた。

山極　環境を変え、文化を多様にしたのです。服装や家を変え、調理という技術を使って可食部分をたくさんつくって、生き永らえてきた。しかし、身体は大きく変えなかった。だからいまだに一種で、遺伝的多様性はほとんどありません。しかも、あらゆる地域で人々が交流して生殖も縦横無尽に行っています。そういうことが前提になって、今度は逆に均質性、つまりグローバリズムが頭を擡げてきたのだと思います。それは一つには言葉というコミュニケーションツールから文字というコミュニケーションツールに移行したことがあるでしょう。言葉が声を通して語られている場合は簡単には変換できませんが、声や身振りを取り去った文字は簡単に変換できるので、そこからグローバリズムが始まったとも言えます。そして経済で言えば、通貨がまさに世界を均一にしていくわけです。そしてそれに乗っかって、今度は生命科学技術が出てきて、均質性を前提にして人間の改造が始まる。そして食も衣服も、人間の適応能力も世界観も、非常に似たようなものになっていく。そしていつの間にか、それが世界の一つの合意であるかのように変わっていくわけです。つまり、均質性を元にして多様性を求めていた時代から、均質性を言い訳にして均質性を求めていく時代に変わっていく、ということです。

　では、その次に来るものは何か。

市場と流通革命

中沢　その次に来るものに私は大変興味があります。例えば今の東京では、築地と豊洲の問題などがあります。これなどはまさに種の思考の解体や均質性の拡がりに関係していることだと思います。築地は日本文化の典型みたいな場所で、味覚の多様性に関するプロフェッショナルを集めていました。それをやっていると、効率性は悪いのです。例えばセリをやらなければいけません。セリをやって価格決定をしていくのは時間がかかるし、面倒くさい。流通の間に、複雑な味覚に関する知識を持っている人間がたくさん介在してくるということは、消費者にとっては大変よいことですが、安いものを食べられればいいやというふうにコモディティとしての食を求めている人たちにとっては、面倒で複雑すぎてしまうわけです。今、流通革命が進んでいて、Amazonフレッシュや楽天市場のようなかたちで、産地で採れたものを消費者のところに直送してしまうのが未来的と思われているでしょう。そのための物流センターとして豊洲をつくろうとしている。築地市場のようなシステムはもういらないというのが、それを推し進めている人たちの本音です。しかし世界中が、Amazonフレッシュのようなシステムに変わっていくというのは、今言われたような均質的な方向へ行く趨勢や、ものをすべてコモディティとしての商品に変えていくという資本主義の運動の先端を前に進めているだけです。

山極 もともと商売というのは、ある地点のものを他の地点に移すと高く売れるという価値の違いが前提になっていたのに、今は等価値になってしまっています。だからどこでも新しいもの、新しい価値を持つものでなければ売れなくなってしまった。

中沢 そういうことですね。先ほど、なぜ戦争で死ぬ人間が減ったのかという話をしましたが、これも関係しているのではないかと思います。

山極 市場はコミュニティの外にありますからね。

中沢 戦争していた部族が仲直りをするときに市場を開きます。そこで値段決定をセリでやる。その名残が今のセリにも残っているわけで、あれはほとんど戦争です。

山極 セリは戦争の名残ですか。

中沢　これはレヴィ＝ストロースの説ですが。戦争の名残としてのセリに、「神の手」が働くようになったということから、アダム・スミスの資本主義は生まれます。ところが、今の資本主義には戦争がないので神の手がありません。戦争を見ていても、衛星とコンピュータによって操作していきますから、シリアで空爆をすれば何人が死ぬかということも、すべて計算されコントロールが可能になっています。ある意味で戦争がセリであったような時代がなくなってしまったということですね。

人間を外から見る

中沢　こういう事態がさらに進んで、人類の文化がどこに向かっていくかに大変に興味があります。コモディティの果て、三次元空間による消費者への産地直送、個と類の直面、地球の変動が、われわれの個人生活にも直接影響を及ぼす。そういう世界の先に、何が出てくるだろう。われわれが考えなければならないのは、それしかないという気がしています。

山極　ただし今は、トランプ政権の一国主義や、イギリスのＥＵ離脱といった、ぶり返し的な過渡期の現象が起こっています。

中沢　今までは新自由主義のグローバリズムのほうへどんどん行っていたのですが。

山極　しかしそこにも限界が来ていて、結局、境界をなくしたことでその土地に昔から住んでいた権利やプライオリティが働かなくなっているわけです。それを働かせないと、国家は成り立たないのではないでしょうか。もっとも、国家はどこまで保持していけるのかわかりませんね。実際に物流やコミュニケーションの世界では、国家という境界はないわけですから。そこをどう捉えていくのか。

今までは技術が先行する時代だったわけですが、ここに来てようやく、技術より先に思考をめぐらさなければならないことになってきたのではないでしょうか。

中沢　その思考をするのは人類です。ということは、人類のポテンシャルは未踏の領野として残されているのではないかということになってきます。そのとき、認知革命が持っていた本当の意味がそこで開花してくるのだろうと思うのです。

私は最初山極さんと同じ学問の道を歩もうとしました。それはなぜかというと、ホモ・サピエンスを研究するには、ホモ・サピエンスを外れたところから研究しなければいけないと思っていたからです。そうすると類人猿が頭に浮かんで、それを研究しないと人類の本質は掴めないだろうと考えました。しかし最終的に私が向かってしまったのは菩薩のほうだったのですね（笑）。でも、それも人間の外なんです。

ですからここで山極さんと対談していてとても感慨深いものがあります。類人猿と菩薩は両方とも人間の外ですからね。人間が今どちらに向かっているかは、外から見るとよくわかります。個がキメラ化している状態とか、間の種が薄くなっていることなどが見えてくる。その先に人間がどちらに向かっているのかを知るためにも、やはり外から見るしかないだろうと思います。

山極　私はインティマシー、親密空間・親密関係をどう捉えるかが、これからのキーになると思います。人間の身体性をもう一度呼び起こさなければ、充足感は生まれない。そもそもこの三〇年ほど、自分のプライベートな空間を保つために、食においても、住においても、他者とのインティメイトな空間をどんどん排除していったわけですよね。それは共同体のレベルでも家族のレベルでもそうです。家族は今、ほとんど崩壊しかかっていますから。それを再生するということではなく、人間のインティメイトな充足、つまり、個人として充足するのではなく社会的存在として充足するということは、何によって、どのようにして可能かということを、もう一度考えなければならないと思います。

3 生きられた世界を復元できるか

今西錦司と西田幾多郎

生物の論理

山極　私は今西錦司さんの本を全部読んでいます。面白いことに、今西さんは西田幾多郎をまったく引用していないのですが、実に大きな影響を受けていると思います。

中沢　今西さんは西田さんの『論理と生命』をよく読み込んでいます。西田研究をしたというのとは違いますが、ポイントを正確に生物学に活かしています。

山極　今西さんは一九四一年に『生物の世界』という本を出しています。彼は晩年に「自然学」を提唱しますが、そのとき『生物の世界』が一番出来がよかったと言っています。その後いろいろ対象を変えて論理展開をしていきましたが、今西さんの発想はすべてそこから出ています。西田さんの『論理と生命』は一九三七年に出ているのですが、今西さんはそれを読んだとおっしゃっているのですね。それまでずっと西田さんの名前は今西さんの本のなかには出てきませんでした。『生物の世界』にも出てきませんが、晩年にインタヴューに答えて、そう明かしたのです。「『哲学論集』第二巻の「生命」の部分は読んだな」と。

今西さんという人は、自説の核になる部分をどこから借用したかを一切言わない人でした。ダーウィンやクレメンツなど、対決した人は名前を明かしているわけですが、全面的に借用した人は名前を出していないのです。例えばフォン・ユクスキュルなどもそうです。ただ、西田哲学に関しては、少し後ろめたい気持ちがあったのか、晩年に名前が出てきたわけです。

『生物の世界』は今西さんの独創と西田さんから借用してきた考え方が非常にうまく織り込まれています。今西さんのオリジナルは、「この世界を構成するものは、すべて一つのものから生成発展した」という文言です。これは最初に出てくるのですが、これも土台となっているのは西田哲学だと思います。ただ、西田さんはそれをすべて「無」と言ったわけですが。

それから、今西さんは「生命というのは絶えず動くものである」と言います。そして、「かつては昆虫少年であって、昆虫を収集しては標本箱にピンで留めていたけれど、それはもうやめた。なぜならそれは死物学であるからだ。これからは生きているものをやる」と宣言しているのです。われわれはそれを見てなるほどなと思ったのですが、そこに深い論理が潜んでいるとは思わなかった。でもやっぱり潜んでいたのです。すなわち、生命は動くものであるということです。まさに動くからこそ、西田さんの言う「絶対矛盾的自己同一」がある。

今西さんは時間と空間についてこう言っています。時間即空間、空間即時間、これは相矛盾するものではあるけれど、行為的直観としてそれを同一させている。つまり、自己というのは行為的直観の賜物であり、本来矛盾する時間と空間を生物として自己限定したときに自己が現れる、ということですね。これは今西さんの発想ですが、西田さんから取り入れたとしか思えない。今西さんの言った、生きたものを見るということは、そして生命の本質を理解するためには、死んだものを見る、あるいは動いているものを静止させて見るという現代科学のやり方では堪えられないものがあると言い当てたのだと思います。

中沢さんの『レンマ学』〔講談社、二〇一九〕を見ると、それはまさにレンマだと思いました。西田さんも実はそちらのほうから発想を得てきているということで、改めてそのつながりが納得できました。

中沢　私は生物学を勉強しようと思っていた頃に、今西さんの書かれたものをよく読んでいました。ヒラタカゲロウの研究や『生物の世界』も読んで、その発想法に大変惹かれました。その魅力の本質は何なのかずっと考えつづけています。レンマ学の連載も後半は生命論になっていきます。生物学を仮にミクロ生物学とマクロ生物学とに分けてみると、今西さんの学問はマクロ生物学になるわけですが、マクロ生物学のなかには明らかにレンマ学をベースにした華厳の考え方が入っています。そのことを、最近また深く自覚するようになりました。

西田さんの考え方がどこから来ているのかと考えてみますと、禅をやったとか、仏教を意識的に勉強したといったこともあると思いますが、それよりも日本人の知的な世界のなかの深いところで華厳の考え方が浸透しているのだなということを実感します。私は田邊元の本『フィロソフィア・ヤポニカ』（講談社学術文庫／集英社）を書いていたとき、西田さんを逆のほうから照らし出そうと思っていました。田邊元という人はそれほど日本的な思考をする人ではないから、日本人の無意識的思考のままでやっていたわけではありません。それに対して西田さんは、自分が無意識で世界をとらえている思考方法を意識的に取り出していったら、仏教の思考方法と同じになってしまったというのが正直なところではないかと私は思っています。

今西さんに関してもそうではないでしょうか。西田さんの本を読んだりしたから今西生物学が生まれたわけではなく、今西さんが子どもの頃に周囲から吸収し学びとっていったものを自分なりに体系化してみたら——今西さんは体系化するすごい能力を持っています

――、そしてたまたま西田さんの『論理と生命』を読んでみたら、「同じことが書いてあるじゃないか」ということになったのではないかと思うのです。

山極　そう思います。今西さんの学位論文は、おっしゃったようにヒラタカゲロウの棲み分けについてのものなのですが、学位をとったのは一九三九年三七歳のときで、『生物の世界』を書いたのは三九歳のときです。学位論文を書く前の一九三七年に西田さんの『論理と生命』が出ています。それまで西田さんの講義は受けたかもしれないけれど、三二歳違いますから、それほど影響は受けていないと思います。むしろ、今西さんが小さい頃から培ってきた京都における自然観、西陣というまさに京都の真ん中で、いろいろな人たちとの交流を通じて身につけた自然観から発想してきたものだと思います。

棲み分け現象というのも、言うなれば絶対矛盾的自己同一です。つまり本来ならばせめぎあうところが影響しあう――影響しあうというと、影響して影響されるということになってしまいますが、むしろ対立しあいながら統合した現象をつくり出していく――姿は、薄っぺらい言い方をすると「共存」とか「競合の解消」とか、もともと対立しているものをお互いのネゴシエーションによって調和的な関係に持ち込むといった話に西洋科学ではなってしまうのですが、実はそうではない。つまり、競合しあっているものが安定して調和したのではなく、もともと競合し調和するものであり、言葉で言うと相矛盾するようなことが現象として起こっているのがまさに生物なのだという考え方ですよね。ダーウィンの進化論は、環境は動かないものとしてあり、生物がそれに一方的に影響を受けて変わっていくことを進化と呼んだわけですが、今西さんは、環境に働きかけることが生物の生業であって、それが「主体性」なのだとします。今西さんはそれを主体性と呼んだのですが、西田さんはそれを行為的直観と呼んだわけです。今西さんは直観——あるいは認識——という言葉と類推（アナロジー）という言葉をよく使うわけですが、これはまさに西田さんの言う行為的直観の二つの側面なのです。

西田さんは、まさに認識することが生物の生物たる所以であって、この世界を認識するということは、その生物が環境に働きかけることであると言います。環境を変えようとすること、支配しようとすることですね。それを今西さんはよく理解しています。だからこそ主体と環境の関係を絶対矛盾的自己同一的に考えて、主体性は生物が環境に働きかけることによって起こるとしました。もちろん環境からも影響を受けていて、それがなければ生物ではない、生物の定義そのものがそうなのだと言ったわけですね。西田さんは全部頭のなかで考えたわけですが、今西さんの場合は彼自身の自然を見る目から来ているのです。今西さんにはすべて具体例があるのです。

中沢 今西さんが西陣で体験していた人間関係がまた、そういうつくられ方をしていたわけですよね。西陣の人間社会にも、それぞれの「昆虫種」みたいなものがあり、自分の主体性は壊さず、個性が強くつくってある。だけど、その個性は自律しているわけではなく、全体がつながっている。自分は自分なのだけれど、自分の底が自分で抜けているという西田哲学の言い方で言いますと、自己はあるけれど自己の底は抜けていて、それが他者に通底していく。自己は自己のまま他者を取り入れていき、関係性をつくっていく。華厳で言うところの「相即相入」。それが絶対矛盾的自己同一の発端になってくるわけですが、西陣における職人の世界もそういう構造を持っていたのではないでしょうか。

山極 京都人的な考え方なのですね。京都人的なものの考え方というのは、これは異論があるかもしれませんが、女性より男性のほうに多いです。お公家さん的な考え方です。『源氏物語』でもそうですが、自己主張を見せないのです。つねに網の目のなかの関係論として話をします。

中沢 響きを聞くんですね。蜘蛛の糸でできた世界みたいなものですね。

山極 そして最終決断をしない。これが京都人の生き方です。私も京都の町家に住み始めてから、町会長をやらされたりして地区の集まりなどに出るのですが、絶対に決定しない。決定しようとすると邪魔が入る。「ちょっと待て。まだ全体のかたちができていない」と。誰かが何かを言い出したら、その人をリーダーにして周りがフォローしようという考え方を絶対しないのです。みんながいろいろ言いあいながら、絡みあいがきちんと見えていかないとあかん、みたいな感じです。

中沢 アメリカ先住民や縄文人の集会も、そんな具合だったと思います。何の結論も出さないけれど、それでいて全体の編み目は変化していくわけですね。今西さんの進化論では、なぜ進化するのかというと、適者生存だからではなく、何となく変わっていくのだという言い方をしたりしますよね。何となく変わっていくというのは、まさに今おっしゃったような、変わるべくして変わるということです。こっちの方向に行こうとか、因果関係でこっちのほうに進化していったのだ、ということは言えない。そういう進化ですね。

主体と環境の「相即相入」

山極 ですから、そうした考え方をする今西さんにとっては、ダーウィンの進化論みたいに因果論的に進化を解説する――環境の力が働いて、その環境のなかで適者として生きるためには、こういう性質が生存を高めてくれる、だから子孫を多く残せる――というような、具体的な利益につながっていることにはあえて目を向けません。環境はそんなに単純なものではないし、主体として環境に働きかけるのだから、環境から一方的に条件を決められるのではない、という考え方です。

中沢 そうした考え方を仏教の華厳で表現すると、縦横無尽の展開ができます。環境と主体の関係については先ほども出た「相即相入」という便利な概念があります。主体は主体で孤立しているわけではなく、環境の一方的な影響を受けるだけでもなく、主体が環境に影響を及ぼして全体が変化していくこともありうるわけです。

相即相入の「相即」というのは、お互いのあいだに構造的なアナロジーがあるということです。アナロジーがあるから、二つのあいだで構造的に影響を及ぼしあうことが可能になってくる。そのため違うゲシュタルトはできない。「相入」というのは、相手から力が入ってきたり、相手から力を送り出されたりして、陽になったり陰になったりする作用のことを言います。自分のほうが力が強いときはこちらが「有」になり、環境のほうは「無」になる。あるいは逆に、環境のほうが主体に強く影響を及ぼすと、環境のほうが「有」になって、主体が「無」になる。存在と無の入れ替わりが絶えず繰り返されながら、環境全体が変化していく。これが西田さんの考えの背景にある華厳的な考え方ですが、今西さんが考えていることは、細部に至るまで、華厳的な論理を徹底させているのですね。

その意味では、今西さんという人は、京都の町家で育ち、森のなかに出かけていって昆虫の世界を見て、はては遊牧民やサルの世界に行きというふうに、生物の世界を冒険しながら、同じ視点をずっと一貫させています。

山極　今西さんはマクロ生物学ではあるけれど、昆虫をやっていましたから、かなりミクロなところにまで視点が行きます。なおかつものすごい勉強家でしたから、細胞生物学もよく知っていた。ですから細胞から発想しています。細胞そのものがそれぞれの内部に矛盾を抱えていて、かつ外部との関係において、西田さんの言う多対一、一対多という発想が生物の中で具体的にどういうふうに動いているのかということを理解していた。生物の体の器官も、それぞれが独自の機能を持っています。ただし、空間的な構造としてネットワークみたいなものをつくっていて、それが時には対立し、時には矛盾し、時には助けあう。それを「統合的な有機体」と言いました。有機的統合が生物の神髄だと言ったわけですが、それは社会にも見られるはずだ、と。個体自身が反発しあいながらも一緒の動きをしていく。それがまさに種社会というものであるというわけです。そして個体同士の関係だけではなく、そこには場が必要なのだと言います。場のいろいろな影響のなかで、個体がそれを直観的に見抜きながら働きあうこと、それがまさに種社会である、と。種社会は環境抜きには考えられない。つまり個体の延長が環境であり、先ほど申し上げたように、主体と環境の相即相入が起こっているからこそ、種には社会もあり、個体同士の関係もあり、環境という場があり、それを一体として考えなければ生物は考えられないということを言ったわけですね。

それがだんだん発展していくと同位社会になる。カゲロウは同位社会ですよね。種が違うけれども同じ場で棲み分けているわけですから。同じような欲求があるから棲み分けなければならないわけで、そしてその上に複合同位社会があって、その上に生物全体社会がある。そこまで行くともう空想にしかすぎないから誰も見向きもしなくなってしまったわけですが、でもそれは現象から、すべて自分が体験したことから出発しているというのがすごいなと思います。

もう一つ重要なことは、今西さんは、西田さんがこだわったデカルトの「我思う、ゆえに我あり」にも反発していることです。これは西田さんの影響を強く受けたかもしれないけれど、「『我感ずる、ゆえに我あり』、俺はそう思うんだ」と言っているわけです。西田さんは、すべての目を持っている生物が見ている主体を見ることができないのと同じように、考えている主体を考えることはできないはずだとします。もしそういうことができるのだとしたら、そこには抽象的な自分というものが存在しているのではなく、身体としての自分が先にあって、そこから我ということが起こるはずだ、というわけです。

例えば汗をかくというのは自分の意思ではどうにもならない。それは身体が主体的に環境と反応して、暑いという自分の答えを出している。それを自分が感じて、「暑い」と言葉にして表現する。しかし身体はすでにそれに対して答えを出しているわけで、自分として制御できるものではない。なおかつ、ダーウィンが一番重要視した繁殖という問題に関しても、一番大切な精子を自分の意思で統御できないわけです。

だから自分の身体というのは、自分という抽象的なものが指令を出しているのではなく、まさに身体と私というものが切っても切り離せないものだということです。身体をモノとして感じるところに私という抽象的なものが出てくるのです。これは西田さんの考え方かもしれませんが、私というものを物体として見る視点があることによって私というものが抽象化される。でもそれは私ではないというわけです。そういうことを今西さんはずっと言っていましたね。そこは西田さんの思想の影響を非常に受けていると思うのですが、それはまさに今西さんが観察や自分の実感を通して得た結果なのだと思います。ある意味でそれを西田さんの論理によって補強したということなのかもしれません。

中沢　今西さんがその環境のなかで思考したからあの思考は生まれたわけだけれど、西欧の生物学者が同じ京都の自然を観察しても、その認識には達しないのでは。そういうことを考えていくと、思考方法のなかに、何かレンマ学的なものがセットしてあって、それが今西さんや西田さんのような思考を生み出したと言えるのではないでしょうか。そしてその思考方法には確かさの骨格や土台がありますが、それは生命に内在している論理の表現として自然に出てきます。

今西さんはミクロのレベルからマクロのレベルまで自分の学問に統一してしまおうとしていました。私は学生の頃、電車の中刷り広告で、『人類と私』という今西さんの新刊書のタイトルを見て、すごいパラノイアだなあと感心しました（笑）。早速その本を買って読みましたが、パラノイアなんかじゃなくてミクロのレベルから積み重ねた思考方法なんです。

ところで、今西さんの頃はもう細胞の共生進化のような考え方は出ていたのですか。

山極　共生進化は出ていないでしょうね。今西さんが問題にしていたのは定向進化と平行進化です。有胎盤類と有袋類が同じようなかたちになってしまうのはなぜか、それは生活の場と生物の主体性から説明できるという考え方はありました。

中沢　ミトコンドリアの共生というような考え方はまだ出ていなかったのですか。

山極　それにはまったく言及していません。途中で出てきたものです。

中沢　細胞の共生進化説などは今西さんの理論と言ってもいいようなものです。もともと違う生物が他の生物の細胞のなかに取り込まれて、しかも個体性を壊さない。まさに自己でありながら、かつて自分が持っていた機能を別の生物体のなかで果たす。それは自分のためであると同時に、それを取り込んだ生物が利用するというかたちになっています。ミトコンドリア、葉緑体など、細胞を構成しているすべての要素が、今西さんの構造と同じような、縁起論、華厳的な結合でできている。それがだんだん展開されて、種の世界に辿り着いても同じ構造が貫徹しているということが、むしろ驚きです。生物界の一番ベースになっている論理的構造を取り出してみると、それが仏教で言う華厳の論理になっている。それを近代哲学にすると西田哲学みたいになるし、生物学では今西さんの進化論になってくる。そういう思想は生命体に内在している論理そのものと合致している。

それに比べると、デカルト的主体は生物的なレベルから切れています。精神と身体を分離する発想から始まり、主体と客体を分離する思考が出てくる。それはある意味で、自然と生物体に内在している論理とは異なる論理から来ています。

山極　今西さんがばっさり切り捨てた論理があります。それはエスピナスの「社会有機体論」です。これが一九世紀に流行ったのですが、社会を人間の体の部分と全体のように見る見方です。部分は全体に奉仕するものであり、役割を認識しながらつねに統合に向かっていく。しかしこれは全体主義的な論理に発展してしまったので、非常に危険な思想だと言われました。しかも一九世紀末は人間の社会を生物やその器官になぞらえて語るのは間違いだという傾向が強くなりました。優生主義、あるいは植民地主義につながりうるからです。エスピナスの話も途中で消えました。

ただし今西さんは、そこからヒントだけはもらっています。社会を考えるとき、つまり部分と全体を考えるときには、やはりレンマ的方法を採用したのです。エスピナスのほうはまさに西洋の因果論的な考えです。部分に分けて、部分の関係を統合させていくという、統合だけの論理です。しかし、レンマはおそらく、部分的な対立や矛盾を一元的に統合させることなくそのままにつくっていくでしょう。それはまさに自然の営みです。

生物は特に類縁関係を認識する能力を生まれつき持っています。それを今西さんは、「プロトアイデンティティ（原帰属性）」と呼びました。だから、個体として離れていても、すべて同じようなものでありながら、それぞれで違っている。違っていながら同じようなものであるというのが、種が持っている属性です。そこに原帰属性が備わっています。ある引きあいが起こって、ある種は集合するし、ある種はバラバラのままになる。お互いに感応しあうという性質を保ちながら、多様なかたちで生存している。集合し、統合するだけが社会ではない。今西さんはこういうふうに考えました。そこがエスピナスとは全然違う発想です。

中沢　ヨーロッパ的発想で言うと、人間をモデルにするときは、脳があって中枢神経系がある。脳の統合作用によって主体がつくられるという生物観です。そういう人間をモデルにした世界モデルには危険性があると思います。今西さんが考えていた生物をモデルにする世界は、脳と中枢神経は決定的な要因になりません。

山極　中沢さんがよく例に出される粘菌はまさにそうですね。

中沢　私はここのところ必要があってユングを読み直していたのですが、ユングが強くそういう発想をする人でした。脳で考えていないのだと。河合隼雄さんにもこの発想が強くあって、脳と中枢神経だけが知性の居場所とは思っていない。

ここには、インテリジェンスとは何かという根本的な問いがあります。ヨーロッパ人が考えるインテリジェンスは脳と中枢神経系を中心に置くのですが、東洋人、特に日本人の思考方法のなかには、知性は分散的で、中枢神経に集まっているのではなく、ニューロンとも違うところで働いているものがあるという認識があります。そうしないと、生命世界全体の進化やモデルは考えられないでしょうからね。

山極　そうですね。最近西洋の、特に動物学者はそれに気がつき始めています。例えばタコやイカはものすごく高い知性を持っています。人間が見て驚くほどです。タコは八本の脚にすべて神経系がありますが、これは中枢神経系ではなく、分散神経系です。これによっていろいろな出来事に対処しています。色も変えたり、危険が迫るのを感じて、隠れたり移動したりもします。そして、擬態したりもする。非常に高い知性を持っているからこそ、生き延びることができるのです。それは中枢神経系を持っている動物にもわかるような知性なのですが、原理は根本的に違うのです。中沢さんがおっしゃるように、中枢神経系が必ずしも必要なわけではない。中枢神経系を持っているから高い知性を持っているというわけではありません。世の中の生物界に起こるいろいろな出来事や問題を解決するために、いろいろなやり方があるのです。しかもそれは、中枢神経系を持っていようと持っていまいと、わかりあえるものなのだということです。

私が最近よく考えているのは、人間は言葉を持ってから随分変な方向へ行ってしまったということです。近年わかってきたことですが、生物は昆虫であろうと植物であろうと、コミュニケーションをとっている。コミュニケーションのとり方は、よく現象を見てみれば、人間でもわかるものなのです。例えば先ほど共生という話がありました。長い時間をとってみれば、一生の長さが全然違う植物と、ほんの数日しか生きていない昆虫が互いに感応しあって、お互いを助けあっている。それは因果論的に、西洋の科学のように、対立しあうものから共生しあうものになったというストーリー展開だけで説明できるものではありません。では、その感応しあうということが、どういう時間的経緯とプロセスでできるのかということは誰も説明できない。しかも、一個体だけでなく、すべての種の個体が同じような反応を示すでしょう。なおかつ、生物界は同じことが二度と起こりません。同じような、しかし少しずつ違う現象が起こりながら、なおかつ調和がとれて進んでいっている。これを西洋の科学でどう解説するのかは非常に難しい。そこには因果論的説明だけでは解釈できないことが潜んでいるわけです。そこに思い当たらないといけないと思います。

中沢　仏教のレンマ思考をもっとも幅広く展開したのが華厳経ですが、華厳が言っていることを土台に「学」的な思考を立ててみると、世界の構図は根本的に変わってきます。今まで科学や思想が問題にしてきたことが、すんなり解けていく。ヨーロッパ的な科学が先端で向かっているところで問題にされていることもまったく同じだと私には見えます。とにかく、そういうレンマ的な思考を土台に据えて学問をつくり上げたいと思っているわけです。

日本文化の宗教的基盤

汎アジア的アニミズム

山極　先ほど中沢さんが問われた「なぜ日本の京都で西田や今西がそういう考えに至ったのか」という問いは、単に理論を勉強したというだけでなく、日本人や京都の人の考え方がそうだからなのではないかと思います。松尾芭蕉にしても、与謝蕪村にしても、もののあわれというか、自然現象や、流れというものを非常に大事にしますよね。もっと昔から言えば、和歌で語り合っていた平安時代に遡ることもできるでしょう。その流れは、単に物理的な現象としての流れ——例えば川の流れのような——だけではなく、アナロジーとして植物の生きる流れだとか、カゲロウや昆虫たちの現れては消えていく流れだとか、世の移ろいというものを、人間だけではなくいろいろな動きを含んだものとして捉えてきた歴史があるのではないかと思います。
日本人には、虫にもなれるし、動物にもなれる、あるいは植物にもなれるような、生き物の境界を越えて違う存在にもなれるという考え方が昔からありました。それはこの世とあの世という考え方にも表れていると思います。ただ、生き物はやはりこの世の外には出ていけないということが一方であります。例えばイザナギ・イザナミもそういう話ですが、決してあちらには行けないわけです。しかし、この世の中であれば、ハエになって人の耳のなかに飛び込んで話を聞くということも夢のなかではできる。そこには、人間の時間だけでなく、いろいろな生命の時間があってこの世の流れがつくられているのだという確信みたいなものがあるのではないでしょうか。

中沢　ようやく考古学の主題に入ってきましたね（笑）。
ここでもう一人京都の思想家を挙げるとすれば、岩田慶治です。岩田さんは人類学を研究していた方ですが、生命の世界に対しても深い関心がありました。人間の根源的能力として、今おっしゃられた動物にも植物にもなっていく、生と死の境界線に近づいていく思想に対して、「アニミズム」という名前を与えて、深く考えられた。岩田さんは京都の思想家だなとつくづく思うのです。それはアニミズムという一種の生命に内在している論理によって、すべてを見通してみようとしていたからです。そこから出発して中国人の科学的思考や哲学的思考に対しても、深い関心を持っていた。ですから、「京都的」という言い方に込められているものとして、西田さんにしても、今西さんにしても、岩田さんにしても、根底にアニミズムがあると思います。人間が動物にも植物にもなっていき、植物や動物も人間にもなっていくというように、存在の行き来が可能なのだという考え方です。これはひょっとすると京都の学問の根底に据えられているものなのかもしれません。東京大学の学問にはないものですね（笑）。

このアニミズムの感覚は、日本文化のベースをつくった縄文社会の本質に近づいていきます。京都は弥生社会の延長でつくられたものですし、中国の国家的文明を取り入れてきた日本ではかなり特殊な地帯ではありながら、庶民のつくっていた世界には濃厚なアニミズムが生きてきた。町人世界の知性にもそれを感じます。例えば『源氏物語』などを見れば、貴族の世界でもそうでした。源氏の世界はすごく細かく張り巡らされた感情の蜘蛛の糸みたいな世界のなかで、こちらの糸の端がピンと動くと、あちらのほうにいる人が感情を感じ取るといったように、全体に響きあっている世界です。『源氏物語』の作者は華厳経をよく読んでいた人ですが、そこには汎アジア的アニミズム思考の高度な哲学思考が見られます。縄文や弥生を超えてもっと広大なアニミズム思想を考えていくべきかもしれません。

山極　縄文／弥生という対立で語れるのかはわかりませんが、おそらく農耕牧畜で食糧生産をするという生業形態への変化はすごく大きな精神的な変化をもたらしたのは事実だと思います。特に何がそうかというと、自然に対してえこひいきをし始めたわけです。

中沢　自分の役に立つものとそうでないものを分別するということですね。

山極　あるいはむしろ害をなすものだと。

今まで境界が曖昧で、対象物として捉えるよりも、食べる／食べられるだとか、お互い生きているもの同士として生活の場所を分けあっていた動植物が、人間の目的に沿って、人間の手で、育種されたり育成されたりし、かつそれがモノとして整理され、分類され、食物となって貯蔵されていくという生活観が入ってきたわけです。すると、まさに包む／包まれるといった縄文的な考え方、つまり、環境によってわれわれは生かされているけれど、われわれも環境を取り込んでいるという生き方が、環境を対象物としてつくり変え、整理し、整地し、投資をし、収穫物を得るというような側に行ってしまったような感じがします。そこが西洋で言えば大きな変化だと思います。

ただ、日本やアジア、アフリカのある一部の人たちはまだ同じような考え方を持っていると思います。縄文的な精神構造を保ちながら、文化／文明をつくってきたと言えるのかもしれません。それはなぜかというと、畑がすごく小さくて大規模農場ができなかったということと、家畜の力をあまり借りなかったということがあります。とりわけ動物観があまり変わらなかったのではないかという気がします。

中沢　最近、ネアンデルタール人の研究が進んでいます。長いことネアンデルタール人とホモ・サピエンスは交雑しなかったと言われていましたが、どうもそうではないらしい。ネアンデルタール人のＤＮＡは随分なパーセンテージでホモ・サピエンスのなかに入っている。

山極　一～四パーセントくらい入っているらしいですね。

中沢　それを考えていくと、われわれのＤＮＡのなかにも、古い形式のＤＮＡがセットされたままなのです。文化の場合にも同じことが起こります。古い形態の文化に新しいテクノロジーが入ってきて、違う文化をつくっていったとき、古い形態のものを壊さないで新しい体制のなかに組み込んでいくことが可能です。殊に日本文化の場合、弥生と呼ばれている稲作技術を持った人たちが九州へ辿り着きます。そして日本列島へこの技術を伝えていくのですが、そのとき大した闘争は起こりません。福岡の板付のあたりに最初の稲作を持ってきた人たちが上陸すると、縄文人たちが興味を持って方々から見学にやってきています。そして新しい技術に大変な好奇心を示した。縄文のネットワークはとてもよく張り巡らされていました。黒曜石や翡翠の運搬などを見ていても、そのネットワークはきわめて広範囲にわたっています。

山極　長野でとれる黒曜石が数百キロ遠方まで運ばれていますからね。

中沢　二八〇〇年あるいは二九〇〇〇年くらい前ですが、北部九州に稲作という新しい技術を持った連中がやってきたというニュースはかなり早いスピードで日本列島へ伝わっています。青森県の縄文村からも人が派遣されています。当時の航海技術からして比較的早く辿り着いたと思いますが、とにかく日本海を漕ぎ渡っていって見学をしています。そしてまた青森に帰っています。東北特産の漆塗りの櫛が板付の雀居（ささい）遺跡から発掘されていますが、それはたぶん東北からのお土産でしょう。

神々の世界、宗教の世界について、弥生人と縄文人はもともと似ていたのではないでしょうか。いわゆる弥生人について、いろいろな説があって確定はしていませんが、浙江省のあたりにいた稲作をやる漁撈民、つまり半農半漁の人たちが中国の沿岸部を通り、朝鮮半島を経由して、対馬へ渡り、そこから北九州へやってきたのではないかという考え方が、私には一番しっくり来ます。この弥生人たちはどういう人たちかというと、中国人が「倭人」と呼んだ人たちと同じでしょう。倭人は漁撈もやり稲作民でもある人たちで、中国人、つまり漢の人たちから見ると異質な人たちです。いわば少数民族ですが、彼らが日本列島へやってきている。なぜ来たのかを考えてみると、故地にいづらくなったのではないかと思います。漢族の国家の考え方とは馴染まない人たちが日本列島へ入ってきている。着いてみると、そこには縄文社会の人たちがいた。相互の信仰形態を考えてみると、この二つは接合するのがそう難しくなかったのではないかと思います。縄文系の海人も倭人系の海人もおおもとはスンダランド出身ですから、基本構造は同じなのです。弥生文化のなかに縄文的なものが深い部分で――ネアンデルタールＤＮＡではありませんが――セットされている。そして日本文化の原型が形成されてきたというふうに、私はだいたいの見取り図を描いています。

そうしてみると、弥生文化と呼ばれているもののなかにも、程度の違いはあれど、縄文的な要素、すなわち自然をコントロール可能なものにする弥生人とは違う発想が深いところにセットされていたのではないでしょうか。中国で発達した文明と日本文明の違いを考えてみても、日本人の無意識のなかにアニミズム的なものが深くセットされていたと考えてみると、後々の日本の思想の発展・展開もよく理解できます。

山極　中国の中央集権的な、稲作を中心としてできあがった文明と、日本の縄文的で分散的な発想が合わなかったというお話がありましたが、少なくともそこに仏教が入ってきますね。奈良時代ぐらいでしょうか。聖徳太子が遣隋使を送って、律令制をつくる。かなり劇的に日本社会が改変していく時代です。このときに仏教が相当に大きな力を果たしたと思います。中沢さんは、仏教と縄文があまり相性がよくなかったと思っていらっしゃいますか。

中沢　仏教は早くから日本に入ってきていたと思います。最初は「雑密」と言われる一種の呪術として入ってきています。この考え方は縄文文化とすんなり接合します。

ただし問題は、仏教が公的に入ってきたとき、それが国家と結びついたことです。国家仏教は言ってみれば合理主義的な文明の極地ですから、光明の文明の象徴のようなものとして仏教が取り入れられてきたことは確かだと思います。ただ、その当時から仏教のカスタマイズはものすごく進展していて、例えば行基のような民間仏教者を多数輩出しています。仏教徒と称する人はたくさんいたけれど、この人たちは国家に登録されている人ではありません。そういう民間仏教者がたくさんいたことを忘れてはいけない。

山極　奈良から平安にかけて、あるいは鎌倉も、遊業者だとか乞食だとか、社会の底辺や周辺部にいる人たちと仏教僧たちがともにぞろぞろ歩いていた。その人たちは国家の法の外にいるから、集まることができた。ある意味優遇措置を受けていたのかもしれませんね。

中沢　優遇措置を取らせるために行基たちは頑張ったわけでしょう。非国家的な仏教僧はその頃「禅僧」と呼ばれていました。これは後世の禅とは異なります。この禅僧は何をやっているかというと、遺体処理です。馬や牛も含め、放置されている遺体を処理して葬るということをやる仏教徒がたくさんいました。

思想性を持った人々は山岳に入って、そこで山の仏教をつくりました。そのなかから空海が出てきます。もともと空海は国家に認められた僧侶ではありません。東大寺で勉強はしていますが、スポンサーになったのは佐伯氏をはじめ山中で金属採掘などをやっていた人たちです。

山極　山師ですか。

中沢　そうです。そういう山師集団がスポンサーになって、空海を自分たちの思想的に重要なエージェントとして育てていったわけです。空海はかなり短期間でサンスクリットも修得し、中国語も巧みにできた。向こうに行ってもネットワークがありますから、それを利用して最澄のような真面目な人とは全然違ったやり方をとりました。そのことは真言宗の人たちも気づいていました。空海は普通の国家仏教の僧侶ではなかったからこそ、いわゆる弘法大師伝説ができるわけです。民衆に密着しています。行基菩薩の伝説と空海の伝説はほぼ重なりあっています。そしてそれが西日本の仏教の元型になっていきます。

密教とは何かと言えば、アニミズムを仏教思想で昇華した思想とも言えると思います。

山極 神仏混淆でしょうね。

中沢 神仏混淆は長いこと日本の宗教の基本形態でしたし、神道の基本形態でもありました。それも見方を変えれば、新しい仏教というかたちで、国家的なアカデミズムのなかにアニミズムや縄文的な要素を組み込んでしまっているということになります。そしてそれが日本人の意識の一番のベースに据えられた。

山極 廃仏毀釈以来、神仏分離が当たり前のようになってしまっていますが、日本人の心はおおよそ神仏混淆だったんですね。

一方、キリスト教のような一神教は絶対神がこの世の外にいて、人間にできないことを司っている。ゆえに人間は絶対に神を超えられない。だからこそ彼らはどこかで神を殺さなければならなかった。そして今、その葛藤にすごく苦しんでいる。日本人にはそもそもそういう葛藤がない。そして自然の一つひとつに潜んでいる神性みたいなものが心のなかにずっと宿り続けてきた。

中沢　弘法大師が開いたのは真言宗と言われていますが、実は哲学のベースにしたのは華厳です。華厳の哲学は、先ほど言ったように、あらゆるものが相即相入しあって全体宇宙の運動をつくっているという考え方で、それは空海の思想の根底に据えられているものです。ですから大日如来をめぐる曼荼羅の思想や密教儀礼の思想の背景には、全アジアに遍満していた華厳的な思想がある。例えばインドネシアのボロブドゥール遺跡なども華厳経をベースにつくられています。古代社会の仏教思想・哲学というと実は華厳なのです。それがだんだん顧みられなくなってきて、殊に日本では鎌倉仏教以後、華厳のようなアカデミズム仏教は意味がないというような扱いを受けてしまいました。それはまことにもったいないことで、日本的にカスタマイズされたものばかりを尊重して、世界から孤立するようになる。

非道具的思考法

中沢　そういう時代に明恵という人が、そういう傾向に反抗していた。それに目を付けた河合隼雄という人はなかなかすごい。河合さんはユングを見つけて、人生の師とした人です。このユングという人がある意味で今西生物学的な発想をする人なんです。心は脳にはないという考え方から、「シンクロニシティ」という考え方をとるわけですね。シンクロニシティというのは時空間的に遠く離れたもののあいだに感応が起こるというものです。これは生物世界にも起こっていることです。先ほどから言っている、植物と動物の感応のことです。それは人間の意識のなかにも存在していて、それがさまざまな現象をつくり出してくる。しかしこのシンクロニシティというのはどういう空間のなかで起こるかといったら、レンマ空間のなかなのです。つまり、どんな現象も局所的でないということです。あらゆるものが非局所的で、全体につながりあっている。人間の心のなかにはそういう空間があるのだということをユングは考えるわけですが、これはどうしてもロゴス主義的なフロイトと対決することになってしまいます。フロイトは、ダーウィンではありませんが、西洋思想の閾内の思想家ですから、ユングとのあいだには対決が起こってしまうのです。

河合さんは明恵に目を付け、さらに『紫マンダラ』のような『源氏物語』論を書いているのですね。あまり注目されていない著作ですが、私はとても面白いと思っています。先ほど山極さんがおっしゃったように、もののあはれの情感で共鳴しあっている全体宇宙——高次元的な蜘蛛の糸の世界のなかで感情が動き変化しているさまを描いたのが『源氏物語』なのだという。そのことを考えてみるにつけても、「ああ、この人も京都の人だ」と、しみじみ思います。

山極　おそらくユング以前に遡るのだと思いますが、西田さんが、道具を介して自分を見つめるということから人間は自らを対象化できるようになった、そしてそれは本質ではない、ということを書いています。それはすごく深い話ではないかと思います。つまり、人間は現代人になる以前に道具を使い始めた。道具は非生物ですから、動かないわけです。自然観察者あるいは西洋的な科学が見る対象はすべて動かないものです。生物を静止させて見るというやり方をずっととってきたのです。だから写真が流行るし、動きを点や線で捉えて見る見方が一般的になったわけですが、そうしないと対象を見ることができないわけです。つまり、道具を人間が使い始めて、道具から人間を見るようになった。道具を使う人間は道具と合体しなければいけません。そうすると、鍬を振るうとき、鍬から人間を見ないといけない。そういうところから自然科学的な観点が発生したのではないかという気がします。

今西さんは「構造即機能」と言っています。これは西田さんも言っていることです。つまり、構造とは空間的なものであるが、機能とは時間的なものであると。それが生物の体のなかでは同時に起こっている。「空間即時間」が言い換えられて「構造即機能」となるというわけです。それは道具的な視点からは捉えられないものです。道具は機能を秘めているのだけれど、それを使う人間がいなければ機能にならない。ただそれは空間を占めてはいるので、空間的なるものではあって、それを生物である人間が使うからこそそこに機能が現れる。ただ、空間的な物体から見た人間は空間的に固定されてしまいますから、時間を生み出しません。それが逆に人間の発想になっていったのではないでしょうか。機能を眺める時間的視点が、われわれの科学ではきちんと分析できていない。

西田さんが「永遠の今」と言いましたね。われわれには過去も未来もなく、ただ現在があるだけであり、そう捉えたとき、行為的直観というのは過去から未来へ流れる時間ではなく、未来から過去へと流れる時間を読み取るものであるのだ、と。文字だけ読むとよくわかりませんが、生物学から見るとよくわかります。つまり、生物が生きるためには未来を先取りしないといけないわけですから。過去は順番に沿って一系列でつながっている直線的な時間ではなく、分散している時間です。それはまさに過去の積み重ねが現在へつながり未来があるというのではなく、未来から投射した過去を今われわれが見ているわけであって、それを現在のなかに表現している。過去を感じるということは、過去があるからではなく、現在の自分がいるからだということですね。歴史は過去から未来へ流れるのではなく、現在から現在へ流れる。それは非常に日本的な発想です。歴史の流れのなかに身を置いた一瞬。それは歴史を過去から未来へ流れる時間と捉えたのではなく、過去も未来もない現在と捉えたからこそ「一瞬」と言えるわけです。そこから一期一会のような発想も出てくるのだと思います。そういう感覚がすでに日本人の心のなかにあったからこそ、そういう捉え方ができたのだという気がします。

そうすると、道具的思考法を日本人があまり取り入れなかったこともわかります。

中沢　道具とアニミズム思考のあいだにはとても面白い現象が発生します。縄文時代から、道具を使った後や、道具が古くなってしまった後の処理法にはものすごくデリケートなところを見せています。アニミズム的発想からいくと、道具は使っている人間と一体になってしまいますからね。特に壺などの場合、人間が捏ねて泥土のなかから造形してつくり、料理や儀式などに長年にわたって使い込んでいくわけですが、それをどうやって使用後に感謝とともに処理するか、これが問題です。縄文人は割って壊した。つまり、人間とのつながりを切ってモノに帰していかなくてはならないと考えます。

山極　神社へ持っていって燃やしたり、お祀りしたりもしますよね。

中沢　そうですね。農機具の場合もそうです。石器時代からそうですが、農機具は使っているうちに人格の一部になります。そうすると、それを壊れたり古くなったといって捨てるわけにはいかない。捨ててしまうと、付喪神（つくもがみ）が発生します。付喪神は捨てられた道具の神様です。人間と道具を接合していた中間領域に霊――これもモノですね――が残ってしまうから、そこから付喪神が発生する。それが人間に悪をなしていくようになりますから、きちんと切り離す儀式が必要になってくるわけです。この発想からすると、道具はそうそう簡単には扱えないことになります。

山極　道具に神が宿っていると。

中沢　人間の体も一種の道具です。魂(たま)が宿っている器です。これが老化や病気で使えなくなってしまったとき、その切り離しをどうするかということがすごく重要になってきます。葬儀が発達したのもそういう理由からでしょう。

山極　それで焼くんですか。

中沢　焼くにしても、土に埋めるにしても、切り離しをすごく慎重にやります。殊にパワーが強い人や身分の高い人の魂の処理が難しかった。

山極　神社の半分は鎮魂が目的ですからね。

中沢　一番困ったのは死刑でしょう。例えば有馬皇子のような高貴な人たちを死刑にするには、首を絞めて殺していたのですが、そのときいかに上手に身体と霊を切り離すかという技術が必要でした。それで物部氏の鎮魂法などが発達しました。強力な魂を体から取り出して離すための儀式をやるのですが、それもやはり道具の問題と関わっていると私は思っています。

古代史においてそのことが問題になったのは、聖徳太子一三歳の頃、いわゆる物部戦争が起こったときのことです。物部守屋を大和朝廷が襲撃した事件です。もとはといえば仏教の移入に関わっていると言われているのですが、どうもそうではなく、実際は物部氏の広大な河内潟の水田からもたらされる富を接収したかったからのようですが。ともあれこの物部氏は魂の分離の専門家でした。それなのにその物部の頭を殺してしまったわけです。それで朝廷には大変な心理的プレッシャーが起こってしまった。それが四天王寺建立につながったと言われています。

ですから道具の問題をそこまで広げて考えると、日本人とモノ〔道具〕の関係の哲学はまだまだ未開発だということが明らかになってくると思います。

山極　一時期流行った、スティーヴン・ミズンの認知考古学がありますね。ミズンは『心の先史時代』〔青土社〕において、人間の知性の進化には三つのモジュールがあり、それぞれが独立して発達してきたのだという仮説を立てています。一つは生態学的モジュール、もう一つは道具的モジュール、もう一つは社会的モジュールです。チンパンジーやゴリラなど人間に近いサルや類人猿は、社会的モジュールが非常に発達しているとします。そして言語はモジュールをつなぐ役割を果たした。だから、道具的発想はそれまで生態知とも社会知とも混じりあわなかったのだけれど、言語によってそれらが混ざるようになった。つまり、人間を道具として見ることができるようになったし、動物も道具として見ることができるようになった。あるいは、植物も岩も、それまで生態知として分類されていたものが、言語によって道具的な用途によって分類できるようになった。それで認知的流動性が生まれたというのがミズンの説です。

それを今の議論のなかで展開させていくと、言語にもいろいろありますから、道具的知性・社会的知性・生態的知性を混じりあわせるやり方や程度がそれぞれの地域で多少異なっていたという可能性もあるかなと思っています。

中沢 インド＝ヨーロッパ語族の言語構造は、切り離し、対象を道具化するのに適した言語だということは昔から言われていました。ところが日本語におけるその機能は弱いと言われています。第一、主語を立てる必要がない言語ですから。インド＝ヨーロッパ語は主語を立て、目的語と動詞で道具的知性、社会的知性、生態的知性の三つをつないでいきます。

山極 そうすると、使用者と使用されるものの立場がはっきり分かれていきますね。

中沢 言語構造のなかですでに道具的思考がつくられているのです。おそらくインド＝ヨーロッパ語族が世界の覇権を握った原因の一つは、そういう道具的言語構造にあると思います。

山極 日本語のなかではむしろ生態知と社会知が非常に強く結びついていて、人間が動物や植物になったりするわけですが、そちらのほうがドミナントになっているのかもしれないですね。

言葉によらないコミュニケーションと無意識

人間と非人間のコミュニケーション

中沢　前にもお話ししましたが、私が京大サル学にすごく惹かれた原因は、伊谷純一郎さんがサルに囲まれて眠っている写真を見たことです。釈迦の涅槃図みたいだと思いましたし、そこに表現されている伊谷さんの思想――サルと人間の相関性を表すのに、人間が立たずに寝そべっていて、周りでサルがそれを見ているという構図をとること――が京大サル学の一つの思想的表現なんだろうなと感じたのです。

山極　おっしゃる通りですね。私はゴリラの群れのなかに寝ころんで、彼らが自由に振舞うところを近くで観察したわけです。そこまで行かないと、実際の観察はできません。そのとき、自分で身を投げ出すわけですね。向こう側に、生の体を入れてしまう。そういうことにはかなり度胸が要ります。

私もニホンザルに囲まれてどうしようかと思ったことがあります。ニホンザルはイヌと違って三次元で攻めてくるのです。三頭いたらとても対処できません。それで恐怖のどん底に突き落とされるのですが、そこではかえってなせばなるような感じになるのです。メスのゴリラに前後を挟まれて、一頭のメスは私の頭を齧り、もう一頭のメスは私の足を齧って、大怪我をしたことがあります。そのとき、もう抵抗しようという感じはなくなっていました。しゃあないな、やつらがなすがままに任せておこう、と思うと、恐怖が消えるのです。そうすると、お互いを隔てていた壁がどこかで一ヶ所抜けるのです。向こうの態度も変わるし、こちらも精神的にスッと幕が上がる感じがある。そういう感覚を覚えると、すんなり向こうの側から世界が眺められるようになります。これは体験してみないとわからないことかもしれませんが。

先ほども少し言いましたが、われわれは今言葉で話をしているけれど、いろいろな動植物と会話ができる感性を持っているはずです。しかし、道具的知性から眺めてしまうと、すべて対象物になってしまいます。そして有用物であるかないかという話になってしまう。ユクスキュルの発想もそこに関わります。つまり、生物は自分が感知していない環境は環境と思っていません。部分的には正しいと思います。ただし、人間は身体でもっていろいろな生物と感応しあって生きています。自分の頭のなかでは気づいていないかもしれないけれど、例えば温度も単に太陽の光だけがもたらしているわけではなく、植物が感じて日陰をつくったり、呼吸をしたりするなかで、われわれはその複合物としての気温・湿度を感じているのです。それはまさにコミュニケーションです。そういう感覚を、言葉によるコミュニケーションだけに重きを置くばかりに忘れがちになってしまっているのです。だからこそ、冷房のなかにいて、それが人間に快適さをもたらすものだとばかり思ってやっていると、人間の身体のフレキシビリティがどこかで崩壊してしまって、逆に不健康になってしまう。人間はつねに外部とコミュニケーションをとっていて、西田さん的な言い方をすれば、外部を抱え込んでいるわけです。人間の身体が気づかないうちに腸内細菌が反応しているということもあるわけですし。今西さんが言っていることですが、腸や胃などの管は、外部が人間の体のなかに陥入している状態なのだと。すなわちそこは外部であるということですね。あの時代にそれに気がついているのはすごいと思います。外部が人間の身体と同化しつつやりとりをしているのであって、まさにそういうところでいろいろなコミュニケーションなり感応なりが起こっている。レンマ的発想から言うと、いろいろなつながりを感じながら、そのつながりを網の目の一つとして働いている、頭のなかでは意識できない人間の身体があるのだということです。言葉が通じない動物とどこかで了解しあえる経験をすると、それに気がつかされるのです。

面白いことに、動物園の飼育係はみんなそれに気がついています。ただ、人間は生まれつき言葉を使ってコミュニケーションをするようにできているから、彼らはあえて言葉で語りかけるわけです。もちろんヒツジだろうがゾウだろうが、言葉は聞いていません。

中沢　別のものを聞いているのでしょうね。

山極　そうです。だからこそわかるのです。われわれが言葉でしゃべっているとき、一番嘘偽りのない人間の身体の動きができていて、その体中から発散されるいろいろなタイプのコミュニケーションを、動物たちはそれぞれが持っているコミュニケーション能力で感じ取っているわけです。だから、彼らにはわかるのです。あたかも人間の言葉を聞いているかのように見える。だけど、われわれ自身が彼らのコミュニケーションの仕方を感じ取る能力をどこかへやってしまったから、彼らが言っていることはわからない。こういう事態に今、陥っているのです。つまり、向こう側に行けない。それはやはり対象科学が発達したせいです。つまり、理解ということが、論理的に、あるいは物象・現象として理解できないと、理解にならないという思い込みです。

私がゴリラや自然との付き合いで学んだのは、曖昧なものは曖昧なままにしておこうということです。それは仏教の、ありのままにという考え方とよく似ています。つまり、正解を求めないということです。人間の頭で考えた論理的正解を追求しない。それが生き物との付き合いだと思います。他のところで了解しあっているかもしれないし、それに自分は気がついていないだけかもしれない。しかしそこでは身体が反応しあっているから、向こうは了解してくれる。ただ了解点を感知することが重要であって、理解を深めることが重要なのではありません。中沢さんの書き物を読んで、それはレンマの発想なのだなと思いました。つまり、深く理解しあうということは、自分が相手の対象になり、相手が自分の対象になるということで、自分が利用できる目的論的な話に従っていたら解釈をどんどん狭めていくということになる。そこで抜け落ちてしまうものはたくさんある。そのことを捨象してしまって、すべてを目的論的に解釈し、無駄なものは捨て、有用なものだけ取り入れ改造していくというのが近代科学のもたらしたものだという気がします。

言葉にならない無意識

中沢　言葉の問題は人間理解の決定打になっています。無意識には言語に影響を受けている部分と受けていない部分があります。言語が意識をつくるのだけれど、無意識も言語の構造に規定されている部分とそうでない部分とがある。フロイトとラカンは、言語と同じように構造化されている無意識を取り出しました。ラカン派は日本ではあまり流行りません。インテリが難しい表現でいろいろ書くのですが、一般には受け入れられていません。どうも日本人には向いていない。そのわけは、フロイトとラカンが言語構造と同じような無意識を探ったからです。フロイトが天才的な直観で無意識を発見したのですが、それを言語構造のほうに引き寄せて解釈しました。

ところが、ユングという人はそうではなく、言語構造によらない無意識があると言い出しました。河合さんはそれに着目し、日本人の精神治療にはこの言語によらない無意識という領域に着目しなければいけないと考えました。そこに接近していくにはどういうやり方があるか。一つに物語というやり方があります。それから箱庭のような造形です。そしてそういう思考の根源にあるのはどうも仏教らしいということに河合さんは気がついています。

仏教は何を主題にしているかというと、言語によらない無意識です。相依相関して全体運動していく縁起は、言語の線形構造に入りません。それを仏教は人間の心の根幹に据えます。物語というのも、山極さんにとってのサルではありませんが、どういう状況になるかわからないけれど、主人公はそこに身を投げていくわけですよね。そうすると、今まで外からその世界を見ていたらただの恐怖の対象だったものが自分に話しかけてくるようになるわけです。そしてその世界が人間にとって決して探究できない世界ではないということを知って戻ってくるというのが物語構造です。どうしてそんな世界へ入っていくかというと、こちらの現世で恵まれなかったり、欠損があったりしている人が、その欠損を埋めるためです。未知の世界は人間の外ですから、非人間がいる世界です。それこそ道具やら妖怪やら怪獣やら、いろいろなものがいる。そこへ入っていくと、いろいろなコミュニケーションが発生します。そして「この人たちも心なんだ」と知って戻ってくる。それを物語療法を通じてやるということが治療で非常に重要だと河合さんは考えた。箱庭療法は何もないところから、何かの構造を自分でつくり出していく。そこに着目し、独自の精神療法の世界をひらいていった。言語構造が人間の心にある程度及んでいるとしても、及んでいないものもあるのだということを出発点にしたときの世界観がレンマと呼ばれているものです。しかも、二五〇〇年も前の仏教思想が、それを自分たちの主題に据え、論理を展開してみせたということが、アジア人としては今後何かをなすときの拠り所になると思います。

山極　もう一つ、人間の言語によらない体験は夢だと思います。フロイトも河合さんも夢に着目しましたが、例えば子どもの頃に空を飛んでいる感覚を覚えたとして、しかしそれは言語では説明できないものです。だって、飛んだことがないのですから。あるいは海に潜って魚のように泳ぐ、というのでもそうです。そういう感覚は、言語によって紡がれるべきものではないはずですよね。身体でそれを想像し、自分で体験する。よく「井の中の蛙大海を知らず」と言いますが、私は井の中の蛙は大海を知っていると思っています。もちろん今西さん的な発想からすると、場所というものと生物の動きは切っても切り離せません。もちろんその通りなのですが、生命である以上、そこから飛躍ができる。その環境のなかだけで環境に抑制され、条件づけられてのみ生命は生きているわけではなく、生命はつねにその環境を飛び出し、環境を拡張しようとしている。生命が持っている可能性を拡げようとしている。そのなかにまさにアナロジーというものが出てくる。例えば、井戸のなかにふと迷い込んでくるハエを見てカエルがハエのようになった気分になるかもしれない。身体は自分の身体を飛び越えるような可能性をつねに秘めていて、だからこそ動きも出てくるし、生きているという活動がそこで絶え間なく実践されているのだと思います。

夢は、いろいろな解釈の仕方があるかと思いますが、身体感覚の飛躍です。そういうことが人間の身体にとって非常に重要です。なおかつ睡眠は哺乳動物である以上、身体の統合性をもう一度回復したり、部分と部分の不整合を調整するのに役立っているのですが、そのプロセスの一環として、夢が視覚的なイメージとして出てくるのかもしれません。イヌやネコだって夢を見ますし、ゴリラだってちゃんと夢を見ていますからね。

中沢　イヌの夢には何度も立ち会いました（笑）。うなされるのです。あれは恐竜時代の恐ろしかった体験の記憶なのかな。

山極　ゴリラもうなされるんです（笑）。隣で寝ていて、うなされて胸を叩いているのを見ました。

夢を見るのは、人間やイヌやゴリラに視覚があるからです。そういうイメージが頭のなかで視覚的なイメージとして出るのでしょうが、他の生物には違う現象として起こってくるのかもしれません。

物質のなかの目的論的構造

中沢　鳥の進化についての本が好きでよく読むのですが、どうして爬虫類たちは飛翔していったのかと考えます。今おっしゃったように、実は夢の問題が大きいのではないかという気がしてしょうがないのです。爬虫類たちが木の上から空に向けて飛び立ったときのことを考えてみると、そこでは先に起こることのある種の予測がなされているのではないかと。

そしてそれは物質のなかにもあるのではないかと思います。たとえばフェルマーの原理では、光が水やガラスなどの反射面を越えて入っていったとき、目的地に向かって最短距離をとるのです。これは、光が通過していくときの最短距離の経路を計算していないとありえないのではないでしょうか。つまり、いろいろな事象は目的論的にセットされていて、そこへ向かって光の経路が計算されていくのではないか。物事が因果の積み重ねでいくのではなく、つまり微分を加算していくのではなく、最初から目的地を狙っていて、そこへ至る最短距離を計算しているのではないか。計算や計測という語は人間との比喩であまりよくないかもしれませんが。いずれにしても、物質のなかに目的論的な構造があるのではないか。

山極　最初に今西さんの「この世界を構成するものは、すべて一つのものから生成発展したものである」という言葉を引きましたが、それは生物だけではないのです。そこには物質も含まれているわけです。地球が誕生したときに光があったわけで、その光というものに当てられながら、水をつくり、そのなかに生命が誕生するという過程を経てきたことは確かなのですが、そのなかにすべての必須条件として、温度や光、地球をつくっている化合物や物質が含まれているわけです。地球上の生命はすべてそういうふうに地球上にあった物質でつくられている。われわれ自身も動植物を食べながら、彼らが取り込んだ物質を体内で分解し、人間の体の成分を構成しているわけですから、その物質からできていると言えるわけです。ですから、まさに一つのものから生成発展したものなのです。ということは、われわれはその物質が作用する物理的な法則をすべて体のなかに収めているということになります。光が屈折率をきちんと考えながら合目的的に動いているように見えるのも、逆に合目的的に見るという見方そのものが光をもとにつくられてきたからだということなのでしょうね。

生命の普遍的なモデルを探して

マーケット理論とAI

中沢 今西錦司さんは経済学者ハイエクと対談をしています〔『自然・人類・文明』（NHK出版）〕。ある意味滑稽な感じもする対談です。ハイエクは日本のサル学に大変関心を持っていました。人間の道徳の発生などのことを考えていた人ですから。それで今西さんに会いに行くわけですが、今西さんはハイエクが言うことを言下に「それは違います」という感じでけんもほろろなのです（笑）。「そのお考えはダーウィンの進化論に基づいておられるようだけれど、そもそもの出発点が間違っています」と。まったく共鳴点のない、しかし長い対談です。

ハイエクは、経済は人間の計画通りにやってはいけないという考え方を持っていた人です。例えば社会主義のようなコントロールを加えるとよくない結果が出る、だから市場のことは放置しないといけない、と。これはアダム・スミス以来の考え方です。では自然状態に放任しておいてやるためのモデルをどこでつくるかといえば、市場です。マーケットのなかで価格が形成される過程をモデルにすれば世界は全体調和をつくり出す、という考え方です。だから社会主義のように価格決定を国がやってしまうと、よくない結果が生まれる。ある意味では、ハイエクは今日の新自由主義経済の根幹をつくった人でもあります。

しかし、マーケットがこれまでわれわれが話してきたような全宇宙、全生命体のなかでの普遍的なモデルになりうるでしょうか。ハイエクによれば、マーケットのなかで価格を調整していけば、利己主義的な人間が自分が持っている商品を高く売りたいと思っても、相手が交渉してきて、需要と供給の調和点で正しい価格が決定される。そしてそういうふうにして人間の世界の適正な価格を決定することができる、と。この考え方でやっていくと、一種の合理性が発達します。マーケットは合理的な価格が発生する需要と供給のバランスでつくっていくわけですが、これが果たして全生命体のモデルになっていくかということに関して、今西さんはそれをことごとく否定していくのですね。

　これは現在の世界で起こっていることに関して重大な示唆を孕んでいます。現在のわれわれの世界は、ＩＴとマーケットでもって決定されています。政治家の決定などは、二次的・三次的な茶番みたいなものです。実際はマーケット上での覇権をどう調整していくかということをもとに動いていて、政治家の言語はその上で一種の茶番のようにして展開しています。そしてその根幹にあるマーケット原理でこの地球をすべて運営していこうとしているのです。それを円滑に動かそうとしているのがＡＩという技術です。そういう地球に対して、ハイエク的な市場世界に対して、今西さんはノーと言っているわけです。

山極　よくわかります。今西さんの考えの根幹になるのは、実体あるものはすべて界面を持っている、つまり個体性を持っている、ということです。そして、界面のないものは言語がつくり出した幻想だと。そうなると、コミュニティもマーケットもすべて幻想です。かたや、生物にしろ石にしろ、実体のあるものはすべて界面を介して関係性が生じる。人間あるいは生物の社会も、そういう個体性を介して成り立っているわけであって、それを計算できるわけがないということになりますね。それはおそらくレンマとも通じると思います。

　ハイエク的経済の思想は、個の決定権が外から見える、あるいは操作できるというものです。マーケットとはそういう話ですよね。だからこそＡＩが登場できるわけです。ＡＩは自律的なものではなく、外から操作可能なものですから。人間個体あるいは生物個体それぞれの、ある政治的な決定の瞬間を見れば、票として数えることができる。あるいは、ゼロサムとして、分布として、考えることができる。そういうふうに落とし込んでいかないと、計算できないからです。あるいは、分布を政治空間のなかに固定してしまって、それが別の空間にどう移り変わっていくかという微分積分の話をしてもよいのですが、とにかくそういうふうに数式化しないと、経済として予測ができない。

しかし、個がゼロサムでもなければ独立しているものでもなく、なおかつ価値を中心に捉えることもできないものだとすればどうでしょう。今の幸福論によれば、お金を持っているから幸せというわけではなく、あるいは物質的なものたちに囲まれているから裕福と感じるわけではなく、人間自身がどういう条件が幸福であると考えるかはそれぞれで違っています。いわば、いろいろなコミュニケーションを経て人間が決定した結果は揺れ動いているのです。ですから、マーケット理論では人間関係は解けないのです。ＡＩでも解けない。そこに思いを馳せないと、人間の社会がどうなっていくかとか、個人個人がどういうふうになっていくかということは予想できないのではないでしょうか。

今よく言われているのは、かつて人間は社会に生きていた、今は経済に生きている、ということですが、それは経済が社会を豊かにする、経済こそが社会の根底に座っていて、社会は経済によってよくも悪くもなる、と思っているからです。しかし、そもそもは逆だったはずです。経済は社会を豊かにする方法の一つにすぎなかったはずなのに、経済指標を目標に掲げ、「右肩上がりの経済」とどこの国でも言っている。そして政治家はみんな経済を気にする。それはまさに資本主義と現代科学が手を取りあった結果です。そういう社会の見方は根本から改めないといけない。もう限界に来ているのですから。

新しい社会／科学

中沢　限界点でいろいろなものが露わになってきました。そういう時代に今西さんや西田さんが考えてきたことが、また新しい意味を持つように思います。

私はここのところ数学の領域で起こっていることに関心を持っています。いわゆるリーマン予想ですが、あれは何を問題にしているのかということをずっと考えていました。そしてまさにこの問題なんだなということに気がつきました。数というのはいわばロゴス空間にある非連続的なものですが、それは根っこの部分でレンマ的な空間というか縁起的な空間にくっついてしまっているわけです。今までの数学はこの根っこの部分はあまり見ないようにしてきました。それで数同士の世界を探究していく。これはこれで複雑で素晴らしいものをつくり上げたわけですが、根っこの部分は違う空間に根を下ろしているのです。それをリーマン予想のおおもとになっているゼータ関数が表現してしまっているのです。リーマン予想は数学最大の難問と言われていますが、まさに難問そのものです。だって、数学の根幹なのですから。つまり、実数という数がつくっている空間と相依相関している別の空間に関わっているのです。そういう別の空間で数がつくられているということ、それを寄せ集めると実数になるという過程を、ゼータ関数は目に見えるかたちにしています。それが最大の難問であるというのはその通りです。これが解けたら、おそらく人間の学問は全部変わるでしょう。

それからもう一つ気になるのは、相対性理論と量子論の結合です。この二つも違うものです。相対性理論はロゴス空間の相対性を言うもので、量子力学は量子空間という非可換の世界に関わるのですから。それらをつなぐことができるとオプティミスティックに考えている科学者もたくさんいるようですが、そんなことは今の人類にはできないだろうと思うのです。この二つをもしつなぐとしたら、まったく新しい科学が必要になってきます。今私がレンマ学などと言ってやっているのは、そのワンステップにすぎないと思います。マーケットの問題や生命の問題、その他のいろいろな問題がもう限界点に来ている。数学ですら、その根本問題は数の実在の問題にまで接近し始めているわけです。量子論はかなり早い時期からそちらへ入り込んでいますが、とにかくそこが突破できるかどうかというところへ、今、人類の命運は懸かってきているような気がします。

山極　数学のほうへ持っていくのか、新しい社会学ができるのか。

中沢　本質は同じだと思います。数学の領域で起こっていること、物理学の領域で起こっていること、生命の領域で起こっていること、社会の領域で起こっていること、それこそ子どもたちのコミュニケーションの世界で起こっていること、みんな同じ問題系だと思っています。

アミニズム的、トーテミズム的

山極　社会の問題に関連して言うと、例えば不安や好き嫌いという感情の領域に入るところはなかなか計算できません。よい悪いというのはきちんとモデルがあって、外在的です。しかし同じことでも、嫌いだったり好きだったり、あるいはそれに不安を感じたり美しいと感じたり、そういう心の動きは計算の俎上に載らないのです。だから一般化できないし、ルールとして人間社会に当てはめられない。自律的な存在である人間という個との関係性を、そういう自律的なものではない単なるデータ分析機械にすぎないＡＩが読み取ることは、いかにディープラーニングを駆使してもできない。それはわからないことで、わからないままに了解事項をつくり、それをベースにして人間社会を考えないと、システムはできても生きるという実践は失われてしまう。

ＡＩを多用して人間社会の仕組みをシステム化していくというのは、例えば善悪などがそうですが、ルール化に非常に結びつきやすい。しかし人間の感情をルール化するのは難しい。というか、おそらくできない。ですからシステム化しようとすればするほど、ある形式化や分類をして関係性を固定したうえでの人間関係のあり方に人間そのものを合わせていかざるをえなくなります。ＡＩを利用すればするほど、人間は均質になり、感情を失う。そしてルール化されればされるほど、ロボットに近い他律的な存在になっていく。そちらの危険のほうが大きいのではないでしょうか。そうすると、他の生物と感応しあっていた、古来の生物としての自律性が失われていく。

中沢　岩田慶治の話のときに出てきたアニミズムとも関わるのですが、私は最近俳人の小澤實さんに誘われて、俳句におけるアニミズムの問題を考えています。芭蕉の俳句がどうやってアニミズム的につくられてくるかとか、飯田蛇笏の俳句におけるアニミズム構造はどうできているかとかですね。それをやっていくと、俳人たちがものすごく関心を持ってくれるのです。自分たちがやっていることはアニミズム的なことなのだということに気がついているのです。金子兜太のような俳人はかなり早くからそれを意識していて、自然界と人間のあいだに言語によって通路をつくることが俳句であると考えていました。こんなことは些細なことかもしれませんが、しかしわれわれがこれから生きていくうえで重要なポイントに触れているのではないかという気がするのです。アニミズムとトーテミズムは、今後の人間社会を構成するうえで鍵になってくるのではないでしょうか。

山極　なるほど。それを今西さんの言葉に当てはめてみれば、直観と類推です。直観はアニミズムで、類推はアナロジーですから。

中沢　トーテミズムは類推ですからね。人間の世界と動物の世界のあいだにコレスポンダンスを考えるわけですから。

山極　今西さんが晩年に言っていたのは、自然学は科学ではなく、まさに自然の学なのだということです。自然全体を丸ごと捉える学問であって、部分的な自然を捉えるのは自然の重要な特質を見逃すことになると。

中沢　考古学が今後向かっていく道は、実はそちらのほうではないかと思っています。考古学が扱っている異物を遺した社会の人々が考えていたことというのは、実はそういう世界です。アニミズム的でトーテミズム的であるような世界です。そしてそのなかから国家をつくったりといったことが起こってきた。その世界を復元し、理解するのが考古学です。考古学は、それを遺物を通してやらなければいけない、モノのなかからやらなければいけないということで、モノを対象化した科学としてこれまで発達してきました。それはそれで大変な、素晴らしい成果をつくり出してきたわけですが、今後考古学が目指していく方向は、それをつくり出した人々の生きていた世界、考えていた世界を復元できるかどうかというところに懸かっているのではないかと思っています。

「心」を復元する

山極　遺物を掘り出し、人間の骨から過去の姿を復元するだけでは、心を掘り当てることはできないでしょう。生物は環境と切り離して考えることはできません。例えばわれわれが遺伝子を保存して、未来あるいは宇宙にそれを持っていき、人間というかたちだけ復元したとしても、環境が異なれば、まったく違う生き物になってしまうでしょう。それと同じで、遺物や骨を現代の世界のなかで復元しても意味がない。過去、人間たちはどういう自然景観に囲まれ、どういう動物たちとどういうふうな接触の仕方をしていたのかということを考えないといけない。

日々の彼らの課題は何であったのか。今以上に一日の大半は食べることに費やされていただろうと思います。彼らの歩き回る範囲はどれくらいだったのか。われわれは今一日に五キロも歩きませんが、農耕牧畜が始まるまで、狩猟採集民はおそらく男性で一日平均一五キロ、女性は九キロ歩いていた。ではどこを歩いていたのか。どういうふうに歩いていたのか。疲労度はどのくらいだったのか。睡眠にしても、八時間ずっと眠るというのではなく、数時間寝ては起きるというやり方だったと思います。彼らはその合間に起きて、焚き火を囲みながらいろいろなことを話していたはずです。そのとき何が彼らの脅威であり、楽しみであったのか。それをどのくらいの数の人たちから得ていたのか。

つまり、社会性と心のあり方は環境にかなり規定されているし、そういうものから総合的に考えていかないと、見えてこないものがあるはずです。一番重要なのは、彼らがどういう暮らし方をしていたかということよりも、どういう心を持っていたのかということです。今のわれわれは、彼らの生活には戻れないかもしれないけれど、心には戻れるはずです。だからこそそれは近代においては俳句として残っているし、もっと昔に遡れば和歌や短歌として残っている。あの短歌がつくられた背景、あの短歌のなかに込められている自然観なり心なりというものを、われわれは今でも感じることができるのです。

中沢　復元できるのですよね。

山極　できますよね。そこがすごいことだと思います。われわれは時間を取り入れ、環境を言葉として外部化して残してきた。言葉には実際の個物として残された遺跡以上のものが隠されているという気がします。

中沢　最近何回か関心を持って行っているのが、能登の真脇遺跡です。真脇は縄文時代にイルカの追い込み漁をやっていた村として有名なのですが、そこに環状木柱列がつくられているのです。縄文人の心や思考の部分が表に出ている数少ない遺跡だと思います。環状木柱列がつくられた時代は縄文晩期にして弥生の初期です。その頃もまだイルカ漁が行われていました。金沢の周辺にも似たような木柱列がつくられているのですが、それらは一体何を考えてつくられたものなのか。弥生文化が入ってきたときに縄文人が何を見、思い、考えていたかということが表現されているなと思って注目しています。実は、北陸のあの地帯は、出雲のほうから稲作の流れが来ていたのにストップをかけているのです。太平洋側では名古屋のあたりでストップがかかっています。縄文社会の人たちが稲作にストップをかけるわけですが、そのとき一体何を考えていたかということは、今のわれわれにとってもものすごく重要な主題だと思います。

考古学も遺物から何を読み取れるか、今までにない発想や哲学を持つ必要があると思います。

山極　霊長類学もそこに貢献できると思います。日本では縄文時代にも定住がすでに実現していましたが、定住といっても稲作や畑をしなかった場合、かなり広い範囲を歩いていた。そのとき一体何を見ていたのか。自然を読む力はすごく強かっただろうと思います。ニホンザルはわれわれよりも先住者だし、彼らの自然を読む力は人間より優れています。熱帯雨林でゴリラと付き合って毎日数キロ歩いていると、彼らが何を見ているかがよくわかります。もちろん食べ物や安全性についてもそうなのですが、新しくやってくる動物や日々刻々と姿を変える花や実にすごく注目するわけです。そしてそれが何を意味しているのかということを考えてみる。もちろん、われわれが持っている「意味」ではありません。彼らはいわば変化と可能性を見ているわけです。蕾を見れば花が咲き、花が咲けば実が生る時期を見定めているわけです。彼らは、先ほどの光の話ではありませんが、それぞれの場所によく通い、その変化に身体で的確に反応している。それと同じように、縄文人は、川もあれば海もあり、四季があり、地震がある、という日本の風土に合ったかたちで、自然の徴候を読みながら、自然と自分あるいは自分たちを重ね合わせて生きていた。その読み方と、農耕において農業暦を一年のなかにどう位置づけて収穫を増やしていくかという考え方は根本から違うものです。

中沢　それに反発した人たちがいただろうと思います。そこで二〇〇年は遅れましたからね。

山極　最近の調査でわかってきたのは、縄文の人たちが弥生に押されてどんどん北へ行ったというよりも、ずっと残っていたところが多いということです。

中沢　弥生村だと言われていても、実際に住んでいたのは縄文時代から一貫した人々だったというケースも多い。あるいは東北だと、縄文人だと言われているのは、実は旧石器時代からの連続だったということも見えるようになってきました。日本列島の場合、そういう連続性がしばしば見られます。そして古い要素を自分のなかへ溜め込んでいく。この思想はかなり強く生き残っていますね。

山極　脊梁山脈が日本の中央部を走っていて、そこが神の領域と呼ばれていたために、畑作の中心にならなかった。しかも、日本では近年まで牧場をつくりませんでしたから、野生動物を人間の支配下に置くことがあまりなかった。それも大きいのではないでしょうか。

中沢　日本の考古学の第一段階は終わったのだと思います。モノの整理・体系化に関しては世界に冠たる精緻なものをつくりえたと思います。土器形式体系などはまさにそうです。ただ、その呪縛から逃れられないところもある。その先へ突破していくにはどうしたらよいかということを、若い考古学者は認知考古学などを取り入れたりしながら模索しているのだろうと思います。でも私から見れば、もっともっと柔軟性がほしい。そのためには今西さんなどの本を読んでほしい。

山極 今西さんは考古学的なことは書いていませんが、空間即時間のような考え方は考古学にとっても非常に重要だろうと思います。歴史がどうつくられるか。それは過去の蓄積だけではないのだと今西さんは言います。生物の体は食べるということに関連した器官がすごく多い。一方、繁殖に関する器官は小さい。それは生物の一生のなかで繁殖はほんの一部分を占めるにすぎないからです。繁殖は時間です。そして食べるという行為は空間です。空間的にある物体を身体に取り込んでいくことが食べるという行為であって、繁殖は時間をそこに生み出す作業なのだ、と今西さんは言いました。子孫をつなげていくわけですからね。人間の感覚としては、時間的な感覚は小さい。しかし、言語やモノは時間を空間につくり変えてみせたから、時間という概念が広がった。われわれが時間を気にするのは、時間と空間が相即ではなく対象物になっているからです。しかしそれは現代科学あるいは言語がつくり出した幻想かもしれない。

中沢 古代中国において封建社会がつくられてくる過程で一番重要だったのは食べるという概念です。マルセル・グラネの研究などによく出ているのですが、要するに帝王が臣民を食べるわけです。この食べるという行為が根幹に据えられて封建社会がつくられるというのですが、そこはまさに穀物をつくってそれを村の人たちが消費し、余剰物を吸収していくという、大きいサイクルになっています。政治のありとあらゆる領域にまで食べるということのメタファーが使われて王制はつくられているのだという研究です。日本でも天皇制は食べるという概念を重要視しています。全国から集められてくる御供物を食べる存在なんですね。ということはつまり国家権力の根幹にも食べるということがセットされているのです。例えば伊勢神宮は海の御供物を奉納するための場所です。

山極　食の支配が国を治めるうえで一番重要ですからね。

中沢　そのなかにセックスの問題も入っています。各地から献納される采女（ウネメ）という綺麗な女性を天皇が食するわけです。この食すという行為と天皇王権が合体してつくられてくるわけです。

山極　これは日本だけでなく世界中にある話ですが、初夜権を村の長老やリーダーが持っているということが近年まで行われていました。あれも食べるという行為と近い話なんですよね。

中沢　その領地でできる初物を領主が食べる権利を持つという観念はものすごく古いのだと思います。

山極　あるいは、権利というよりも、生のものを食して毒がないかどうかを保証する。

中沢　領民は処女を怖がりました。それを領主様という大変力の強い存在が食べてくれる。そして安全になったものを返してもらって嫁にする。われわれからするとびっくりするような感覚ですが。

山極　まず神様に捧げて、そのお下がりをみなさんでいただく、というのと似た発想ですよね。

中沢　食べるという行為からして、ものすごく非合理的な行為ですよね。もともと対象物だったものを自分の体のなかに取り込み、また外へと出していくわけですから。

山極　今実は人間はとんでもないことをやっている。というのは、その土地でできたもので人間の体が構成されているわけではなく、ものすごく遠くからやってきたもの、あるいはもともと自然物ではなかったもので体を構成しているのですから。これは本当は自然の摂理に反することです。いずれにしても、土地との関係性がどんどん薄れていっていることは確かです。

4 華厳的進化へ

述語論理の世界

「レンマ学」の目指すもの

山極　中沢さんが立ち上げられた「レンマ学」についてお聞きしたいと思います。西洋の哲学、あるいは科学は、排中律〔Aまたは非A〕を基にしています。一方、レンマ学というのは、Aでも非Aでもない、あるいはAでもあるし非Aでもある、というふうに物事を考える世界をつくろうとしているのだと私は受け取っています。それは、現代科学では見えていない死角だと思います。

デカルト哲学は「主語の論理」と言われています。主語というのは非常に抽象的なもので、具体的ではありません。一方、西田幾多郎は「述語の論理」と言っています。西田さんは「行為的直観」といって、まさに動くもの、行為することこそが生物の本質であって、そこから自己、つまり主語というものが生まれてくるという論を立てています。それは言うなれば、行為という具体性の中に、主語というものを、つまり「私」を反映させるのか、あるいは世界――デカルト的に言えば環境――を反映させるのか、という問題です。あるいは今西錦司ふうに言えば、それらは切り離せないものだから、どちらでもあるということになる。だから今西さんは「即」という言葉を使うわけです。一即多とか多即一とか。それらの論理を、科学的に考えられるとしたのが、中沢さんのレンマ学ですよね。

中沢　私が『チベットのモーツァルト』（一九八三年、せりか書房／のちに講談社学術文庫）を書いたころ、仏教思想を基礎にした新しい学をつくるという構想は持っていたけれど、具体的に動き出す時期ではなかったといまから振り返ってみれば思います。いまだからこそ、華厳や、その基礎にあるレンマ的思考やレンマ的知性をもとにした学問を考える時期に来ていると思います。それは、近年注目されている「人新世」やAIの発達という事象と深く関わっています。現代は、人間の心の中からロゴス的な思考を外部に取り出して、技術的に精緻に発達させて、ニューロンよりも小さな部品を使って回路を組み立てて、高速度になっていく技術が生まれてきている時代になっています。そういう時代になって初めてくっきりと、ロゴス的な知性とは違う思考方法が、生命体の中にあるということが、おぼろげながら見えてきた。それをいかに取り出すか。それが私の抱えている大きな主題です。

そのとき、山内得立さんが「レンマ的」という概念をとり出してきたり、あるいは西田哲学が「述語論理の世界」を取り出して、新しい思考の道具として使っているのに注目しました。おおもとにある根本の発想は、生命と知性の問題です。インテリジェンスとは何かという問題を生物のレベルで考えていくやり方です。その方向で進めていくと、人間の中で働いているロゴス的機能は、ＡＩとして外部に引き出せるものだけれど、生命体として人間の心の中で働いている知性にそれとは違う働きがあるということがわかります。それはとくに仏教の中で特別な発達をとげて「レンマ的」と山内さんが呼んでいるものですし、「述語的」という西田哲学の思考法につながっています。しかし私はもっとおおもとのところを取り出してみたいと思いました。それを取り出そうとすると、どうしても科学と接触せざるを得なくなってきます。一方には生命体があり、もう一方にはＡＩがある。この二つを接触させてぶつからせていったときに出てくる異質なレンマ的知性の働き。それをベースにしてつくりあげる世界がどのようなかたちになるのか見届けてみたいのです。

粘菌・細胞・進化

中沢　レンマ学を立ち上げるときに、「出発点は南方熊楠」と宣言しました。出発点は「粘菌」なのです。熊楠は粘菌のインテリジェンスに着目しました。粘菌においてインテリジェンスと生命は一体ですから、インテリジェンス即生命、生命即インテリジェンスなのです。

そして、生命そのものであるインテリジェンスは、決してロゴスにはつきないのだと熊楠は強調しました。

自然科学の生命論はいまだに因果論的な構造になっています。いわばロゴス的な論理でもって、生命過程を因果論で解こうとしているわけだけれど、生命即インテリジェンスとしての生命体は、そういうふうに動いてはいないのです。ロゴスよりも大きなその知性を取り出すためには、大乗仏教の論理が一番良いと熊楠は言っているわけですね。だからレンマ学という現代だからこそ可能になっている学問の出発点にあえて生物学の知を据えたのです。ですから哲学をレンマ学の出発点にしたくはなかった。粘菌の知性というものを考えていったとき、そこに述語的世界やレンマ的な知性が全部おもてに出ているじゃないかと言いたかったわけです。

山極　まさに西田さんの「生命の論理」という論考は、人間のことだけを考えているのではありません。生命の本質というのは、外界のものを取り込んで、中のものを出して、そのあいだに連続していく生命としての動きがあって、それが継続性につながっていく、それがまた新しい生命を生み出していく、そういった過程そのものです。その中に、すでにわれわれが知性と呼んでいるものが備わっている。

以前中沢さんがおっしゃった「細胞内共生」の問題もそうです。地球にはもともと酸素がなかった。そこに酸素をつくり出す生命が現れて、酸素でいっぱいになったら、今度は酸素を食べる生命が現れて、そして地球がだんだん窒素と酸素で満たされて、現在のわれわれのような生物が生きている状態が生まれていきました。そのようなきわめてダイナミックなプロセスがあるわけです。そのとき、環境と生物は、これまで自然科学が言ってきたような距離があるものではなくて、むしろ一体化しているわけです。西洋由来の自然科学は、環境というものを、一方的に生物に影響をもたらすもの、つまり物理的なものとして考えてしまって、生命というのはそこから一方的に影響を受け、そのなかでその環境に適応するように自ら変わっていくものだと捉えます。これを「進化」と呼ぶわけです。そうではなくて、生命は環境自体を変えてしまうわけですよね。たとえば、葉緑体やミトコンドリアなどは、もともと一つの細胞だったはずですが、それが別の細胞に入り込んで、共生するようになって、新しい細胞が生まれる。そうすると、細胞の中も環境の一つであるわけです。

そうやって相互作用していくなかで、地球が生命を生み出し、生命が環境をつくるということが起きてきて、人間が生まれた。だから、人間というのも生命のそういったつながりのなかの一部であって、環境に対して何らかの影響をもたらしています。「人新世」というのは、人間が環境から離れた存在で、人間が環境を管理・支配していくという発想である点で、西洋由来と言えます。しかし実際には、人間が環境により操作され、コントロールされ、改変されていくわけです。それが現在起こっていることで、人間が環境をつくり変えればつくり変えるほど、人間がつくり変えられていく。そして結局は絶滅するだろうという話です（笑）。

つまり人間と環境のあいだに一方的なベクトルがあるのではなく、相互作用するなかでお互いにつくり変えられていくのです。実は人間の環境認知なるものも、そのような相互作用の中に包含されていて、それが考古学など文化の話になってくると、それは「風土」や「自然観」と言われてきました。それらを、人間は言葉を編み出して以来、抽象化することで表現してきたわけだけれど、私からすれば「それは言葉ができる以前からやっているよ」と思います。ただ、言葉ができて、分析的に環境を論ずるようになって以来、人間は大事なものを、どんどん見落としてきたような気がするのです。それは、五感のなかで、言葉にできる部分は非常に限られているし、言葉というのは抽象化であって、現実の「感じ」をそのまま再現することはできないからです。言葉にし、文字にし、映像にするたびに抽象化されていって、そこに含まれているはずの相互作用が失われていく。抽象化されたものをキャッチボールするだけで、いわば「自然の工業化」に寄与しているわけです。それが自然科学のネガティブな部分として考えられるのではないかという気がします。

生命はインテリジェンス

意志と表象、西洋と東洋

中沢　原初的な生命体というものを考えると、それは環境から発生し、環境と相互作用しています。けれども、その生命体はきわめて原始的な「自己」の概念を持ち、その「自己」への取り込みやそこからの排出をおこなっています。そのレベルにおいてすでにロゴス的知性が働いている。その知性は対象を分離しますが同時に、環境の一部として、自他一体の状態にあります。排中律が成り立たない別の論理を働かせています。アリストテレス論理学のように、排中律が成り立つ論理と、排中律が成り立たない論理を生命は同時に発生させています。排中律を使わないのがレンマ的論理であり、そこに排中律が働くとロゴスになります。つまり生命は出現すると同時にロゴスとレンマを共作用させているのですね。

生命はインテリジェンスですが、それは仏教の言い方をすれば「煩悩」でもあります。つまり生命は煩悩です。仏教で言う煩悩というのは、生命が仮想的につくっている世界とそこで働く心そのものを指しています。ロゴス的な自己を作るだけでなく、非ロゴス的すなわちレンマ的なものを同時に働かせて煩悩は発達していきます。生命進化がなぜこれほど巨大な発達をとげてきたかといえば、生命体が煩悩によって突き動かされているからにほかなりません。

東洋哲学に造詣が深かったショーペンハウアーが『意志と表象としての世界』〔中央公論新社〕という本を書いています。今はあまり読まれなくなってしまったけれど、実はこの本はヨーロッパの近代哲学のベースの一つをつくっていると私は思います。意志とは何かというと、煩悩の暗い意志のことです。それが生命体を突き動かしている。表象というのは、自己という現象を指しています。自己は記号を生み、象徴をつくっていきます。山極さんがおっしゃった、人間の言語の機能に連なっていく進化の過程は、意志と表象がドッキングされていく過程なのだと思います。ニーチェはそれを、ディオニソス的なものとアポロ的なものと言い換えました。煩悩の意志の部分をディオニソスとして、理性的な表象の部分をアポロとする。それらが、人間のなかで合体して格闘しているという図式。それはドイツ観念論の基本にもなっています。シェリングもヘーゲルも、そのベースの上に思考を展開しました。そう考えてみると、ショーペンハウアーが仏教を経由して、煩悩というものをヨーロッパ哲学のなかに入れてしまったことが近代思想をつくりだすおおもととなっているのではないかと思います。生命そのものが煩悩によって動かされているという、ある意味では暗い認識ではあるのですが、それが基礎になっている近代ヨーロッパの哲学が、古代ギリシアの哲学と根本的に異なるものであったのはそのためです。

古代ギリシアの哲学は、世界のコスモスの原理を取り出す哲学です。そこでは光や論理（ロゴス）が、哲学のなかでもっとも重要な要素になってきます。一方、東洋の哲学の場合は、古代ギリシアで高く評価されるコスモスが、宇宙のなかのほんの一部なのだという認識に立っています。コスモスの外には、秩序が成り立たない、生命のフォルムが解体する混沌の論理が働いている領域があると捉えています。ヨーロッパで発達した思想と、東洋で発達した思想には、大きな分離が起こりました。ヨーロッパにおいてコスモスや論理といったものに価値を与えているのは、ポリス社会の人間中心的な世界観があったからでしょう。

山極　西洋では「人間」が中心になっていきますが、東洋では「自然」が中心になっていきます。ネイチャー Nature という言葉を日本語に訳すときに「自然」と訳したわけですが、実は自然（しぜん）にはもうひとつ「自然（じねん）」という言い方があります。仏教用語で「あるがままであること」を意味します。そちらの言い方のほうが、中国でも日本でも中心だったと思います。だから、絵の描き方や家の建て方などを見ても、人間の眼から見た対象としての自然ではなく、自然のなかに人間を置いたときの視点をとても大事にしています。そこが、西洋近代と東洋が根本的に違うところではないか。中沢さんがおっしゃられた古代ギリシアのほうが、むしろ東洋的なものが強かったのではないかという気もします。

中沢　そうですね。ニーチェが言いたかったのも、まさに古代ギリシアのなかにもディオニソスというかたちで東洋が入っているのだということだったと思います。ディオニソスがどのような神だったのかは、宗教学の発展によってしだいによく分かってきました。驚いたことに、このディオニソスはインドのシヴァとあまりにもよく似ているのです。インドのシヴァは牛を重要視しますが、ディオニソスにも牛が深く関わっています。女たちが牛を引き裂く儀礼をするのですね。現れ方は違いますが、シヴァもディオニソスもその点で共通しています。牛の生と死というものを中心に回っていく思考方法です。そうだとすると、プラトンなどが登場する前の古代ギリシアというのは、アジアにつながっていく思考を持っていたわけです。

山極　アニミズム的とも言えますね。多中心的と言ってもいいかもしれません。つまり、自己の視点を牛に入れ換えることができるということです。

山極　私は、生命の論理とは、自分というものをもっていながら、相手から見た自分というものも同時にわかっているということだと思います。そして人間の場合には、そこに第三の視点が入ります。チンパンジーやゴリラの場合、第三の視点というものはありません。自分と相手のことはよくわかるので、相手を騙すことはできるし、相手が自分を見ていることを意識しながら行動することもできる。一方、人間の場合には、第三者を経由した相手なり自分というものが常に頭のなかに入っています。これは言語以前か以後か正確にはわかりませんが、私は以前だと思っています。第三の視点が入ると、ものの見方が大きく変わり、複雑化していきます。たとえば、モノを介して人を見られるようになる。第三者というのは、別に人間でなくてもいいのです。モノであってもいい。そうすると、人と人の関係に加えて、モノと人の関係が生まれて、ものの見方が一ランク、二ランク上がります。そのような過程を通して、言葉というものが生まれたと私は思っています。

中沢　やはりチンパンジーやゴリラのなかには、第三者という視点は観察できないものなのですか。

山極　そうです。どうしても二者に集約されてしまうのです。たとえば母親と子どもがいて、子どもが誰かと喧嘩をしたとします。そのときその子どもは必ず母親を見るわけです。母親の態度を見ながら、自分の行動を決めていく。しかし結局は自分と相手の関係、つまり自分と母親を同一視しながら相手との関係に収斂してしまうのですね。三者関係は二者関係に収斂してしまうというのが、霊長類の限界なのです。人間の場合は違います。つねに第三者がいて、自分が第三者になったときに、どちらにも属さずにその場に介入することができる。距離をおいて、さまざまな要素を組み入れて、集団に介入することができます。それが霊長類と人間の社会性の大きな違いです。

中沢　第三者が出現すると、そこから宗教がつくられますね。そこには、先ほどの排中律と、排中律を認めない思考が重要な役割を果たしているように思います。スティーヴン・ミズンの認知考古学が登場してきたときには、大変衝撃を受けました。そこでは人間の認知能力が、二つの思考領域を重ね合わせて第三の意味領域を作り出すことができるようになったときホモ・サピエンスへの飛躍がはじまったという考えです。その作用は、流動的知性と考えることができます。

山極　認知的流動性とも言いましたね。

中沢　そうすると、流動性とは何かということが問題になってきます。

山極　それは比喩や隠喩と関係がありますか。

中沢　はい、まさに比喩や隠喩を作り出していく知性作用のことです。二つの意味領域が分かれていると、比喩や隠喩というものはおこりません。それが、流動的知性の働きで接合を起こす。そしてこの接合を起こさせる流動的知性というのは、山内得立の言うレンマ的知性のことではないかと私は考えました。

レンマ的知性が働きだすと、排中律を解除した知性作用が強くなります。そうすると、Aでもあり非Aでもあるという、二つの意味領域の重なりが生み出されてくる。そこにミズンは、流動的知性と呼ばれるものを考えています。これは宗教、とりわけ神の発生とも深い関わりがあります。流動的知性のおかげで生み出される意味の第三領域というのは、抽象的な領域でもあるからです。具体的な世界では結びつかないものとして分離されている二つのものが、抽象力によってつながれてしまう。そうすると意味が発生する。華厳学ではこれを「事理無礙法界（じりむげほっかい）」と呼んでいます。「事」というのは物事を二つに分ける認知方法や、物質が分離する傾向のことを指します。「理」というのは二つの物事を抽象力で結んでしまうことです。事理無礙法界が働くと、人間の知性が強力に動き出します。

山極　ミズンは言葉によってそれが可能になったと言っていますが、私はそうではないと思います。

中沢　逆ですよね。

山極　そうなのです。たとえば、いま私が付き合っている狩猟採集民では、狩りに行って起こった出来事を、「象」とか、「オカピ」というふうに表現します。そうするとき彼は、「象」や「オカピ」であって、同時に「彼」なのです。つまり両方そこにいるわけです。われわれは、彼を彼として見て、象を象として見ているわけです。しかし彼にとっては、二つの意味がそこに現れる。それはまさに述語的世界です。本人がいないわけですから。われわれが見ている彼と、彼が表現している象というのが両方ともそこにある。それは排中律ではないわけです。Aでもあり非Aでもあるということを皆で共有するのですね。人間にはそういうことが現れてきます。ゴリラの場合には、これはあり得ません。ゴリラにとって、彼はいつも彼なのです。

言語が構築する世界

山極　人間は、世界を広く解釈し、それを共有することができるようになりました。つまり空間を縮めて伝えることができるようになった。それは、「演劇」というものを考えればよくわかります。たとえばある俳優が誰かを演じているとき、われわれはそのことをちゃんとわかっています。チンパンジーにはそれがわからないのです。演じているということがわからない。人間はしかも、演じていてなおかつ、Aという人がBという人を騙そうとしているというような彼らだけが持っているフィクションを、オブザーバーとしてこちらも理解できるのです。だから、人間のほうがチンパンジーよりも二段階上なのですね。でもそれはおそらく言葉のせいだと思います。

ただ、言葉よりもずっと古い段階で、演技するということ、つまりAでも非Aでもあるということを、一人の人間のなかに見てしまうということが出てきたに違いないのです。それによって、環境と人間との関係の自由度がより高まった。それより以前は、環境と人間はきわめて密着していたわけです。まさに、ユクスキュルが言った「環世界」――ダニにはダニの世界がある――です。ダニが感じている世界は、人間が感じている世界と根本的に異なっているということですね。しかし、われわれ人間にとっての環境というのは、ダニや犬にとっての環境とは違って、われわれが認知することによってアフォードしていくものです。アフォードしていく環境のなかでわれわれは暮らしているわけで、われわれにとってアフォードしない環境というのは環境ではないわけです。いろいろな生命がいて、それぞれが環境を感じながら相互作用をしている。だから、環境を離れて主体はないわけです。環境を入れ込むことが主体として行為するということで、行為することでまた環境が浮かび上がってきます。そういう発想は、ヨーロッパでも日本でもしてきたのですが、けです。

日本のほうがより主体性を環境に溶け込ませるという文化だったのだと思います。だからこそ、西田幾多郎も和辻哲郎も、述語的論理で日本人は生きているということを言えたわけです。

中沢 そこには、言語の構造の問題があるということがよく言われてきました。インド＝ヨーロッパ語では主語－述語－目的語という構造が全面に現れているけれど、日本語ではそれが全面に出てこないと。

山極 オギュスタン・ベルクが言っていることですが、日本語においては簡単に述語的世界になれます。つまり「私は〇〇である」と言うとき、「は」と「が」を入れ換えてみると、「私が〇〇である」となって、今度は〇〇が主語になっているのです。これは英語ではあり得ないことです。「は」と「が」というたった一文字を入れ換えただけで、主語と述語が入れ替わってしまう。

中沢 チョムスキーの言語学に私は以前からとても興味を持っているのですが、彼は、いま観察できる言語は、すべて普遍的な文法に変形還元できるというふうに考えています。チョムスキーは、アフリカで出現したホモ・サピエンスの脳のなかに発生していた構造に、言語構造の普遍的な原型があって、これが複雑に変形されて人間の諸言語が生まれているのだということを実証しようとしました。実際、変形文法の考え方から外れる言語が、アマゾンで見つかったと言われているのですが、それも考え方によっては変形文法に組み込めるのではないかと見られています。

チョムスキーの考え方に立ってみれば、日本語であれ、インド＝ヨーロッパ語であれ、根本的な構造はS＋V＋Oの基本的な組み合わせで、S＋V＋Oをきちんと順番通りに並べるのか、これらを自由に動かせるのかで、言語は分岐していくわけですね。英語やフランス語の場合は、語順は動かしがたいです。一方、日本語は語順を自由に動かしながら運用していく言語です。そこでは、主語が最初に来て、そのあとの述語と目的語を統御していくのではなくて、目的語が主人公になる場合だってあります。「私は花を見た」というときの「花」が主人公になって、「花見たよ」と。人類の言語の多数派は、実はこれだったのではないかと思います。

人間の言語にとっての重要なポイントは、山極さんがおっしゃった第三の視点の登場や、二つの異なるものが重なっていったときに第三の意味領域が立ち上がってくるという運動なのではないかと私も思います。ネアンデルタール人の言語がどういったものだったのかはよく分からないのですが、ネアンデルタール人の言語とホモ・サピエンスの言語がもし違うとしたら、その重ね合わせの能力でしょう。

山極　脳に関して言えば、ネアンデルタール人のほうが大きいですしね。一八〇〇ccもあるのですから。

中沢 ミズンに言わせると、ネアンデルタール人では、まるでそれぞれに特化したコンピュータが並列的に並んでいるように、どうしても脳の容量が大きくなってしまうということです。一方、ホモ・サピエンスというのは、重ね合わせの能力を使うので、異なるものをある程度まとめてカテゴリーとして考えるようになって、情報量がぐっと圧縮されてしまった。ゆえに脳の容量が小さくても、大きさ以上の能力を持ったコンピュータができるのです。これはなかなか上手い考え方だと思います。

山極 脳が縮むというのは、記憶と知識の外部化ですよね。言葉というのは、外部化の第一歩です。それ以前の道具というのが、最初の外部化ではないかと私は考えています。道具というのは、行為までも担保して、その場に伝えられますから。つまり人間が行為を覚えておく必要はなくて、道具だけ保存しておけばよいのです。ただ、人間は視覚的な生きものですので、モノというのは見ないと伝わらない。それが、言葉によって担保できるようになったのはとても大きいことです。私は、ネアンデルタール人とホモ・サピエンスの違いというのは、言葉を視覚化できたかどうかではないかと思います。

中沢 それはたとえば、絵を描くことができるようになったといったことでしょうか。

山極 そうですね。ただ、表象ということばかり強調されますが、視覚に訴えるか、聴覚に訴えるかは大事です。聴覚というのは、危険の信号になるわけです。あるいは平和な気持ちになるとか、悲しい気持ちになるといったことが起こります。ミズンが、ネアンデルタール人は歌を歌っていたに違いないと言ったのは、感情を左右するものとしての音階がとても重要だったからです。ただ、そこでは意味を伝えなかった。

われわれ人間にとって、意味というのは視覚的なものからしか来ません。これはサルから来ている能力です。サルは見たものに意味を付与することができます。それを言葉に変換するということが、ネアンデルタール人からホモ・サピエンスへ至る過程で起こったのではないかと思います。言葉で伝えることができれば、モノを運ぶ必要がない。これはとても効率的です。あらゆるものを運べますから。

中沢　効率的に意味内容を縮減して、少量の情報を伝えるだけで、もともとの意味内容を復元できる能力が身についたということですね。

山極　そうです。まさにおっしゃるように「縮減」の能力です。

日本の思考を再発見する

なぜいま「第二のジャポニスム」なのか

山極　話題を変えて、ちょっととんでもないことを言いますと、私はいま、「第二のジャポニスム」の時代が来ているのではないかと考えています。ジャポニスムというのは、ご存知のように一九世紀の後半、明治維新の直前に、パリやロンドンで、日本の生活用品や工芸がもてはやされるようになったことで、その頂点が一八八〇年代の浮世絵ブームです。これが、ヨーロッパの芸術家たちに衝撃を与えて、思想変革にもつながっていったわけですが、もともとの発端というのは、アヘン戦争〔一八四〇―一八四二年〕のときに起こりました。アヘン戦争でイギリスが中国に勝利し、中国にあった日本の工芸品がヨーロッパにわたり、人気を博した。異国情緒だけならすぐに終わっていたかもしれませんが、これが二〇年、三〇年と長く続いたのは、理由があると言われています。

最初に彼らの目を惹いたのは団扇や扇子でした。これは生活用品として日常的に使うものであり、大量に使うものであり、女性が自分たちの部屋を飾る装飾品にもなったのです。そこに描かれていた図柄や衣装が目を惹きました。しかもそれは町人文化で、政治的思想性もなかった。それが、西洋がそれまでずっと使ってきた遠近法や明暗法が崩れていくきっかけになっていきます。左右対称でもなく、遠近法にもよらず、世界を見ることができるのだということに気づいたのですね。それまでの西洋画は「窓から見た風景」と言われていましたが、たとえば歌川広重は上から見た橋を描いていますよね。そういう俯瞰的な目、鳥瞰的な目で世界を描けるということが、ものすごい衝撃を与えて、モネやマネやゴッホやゴーギャンらがどんどん採用し始めた。

絵が変わるというのは、世界の見方が変わるということです。遠近法が生まれたのはデカルトの時代だと言われていて、自分の視点から世界を眺める、人物が中心、それが西洋の絵画の伝統だと言われてきたのですが、それを、自然が中心、脱人物中心的な絵柄にすることによって、主体と客体、あるいは自己と自然の距離が壊れたのです。まさに天動説から地動説への移行みたいなものです。ジャポニスムは、そういった変革が西洋で起こっていくきっかけになりました。

そしてなぜいま、「第二のジャポニスム」なのか。日本のマンガやアニメは描き方が特別なものです。しかもそれは、ロボティクスともつながっている。読者や視聴者はすぐにマンガやアニメの主人公や脇役に没入することができます。しかもそれはロボットであっても、人形であってもかまわないのです。文楽でもそうですが、たかが人形なのに、そこに魂を見て、人の生き方をビビッドに見ていくようなあり方が、日本の文化のなかに色濃くあって、それがいまだんだん西洋に伝わり始めているのではないかという気がしています。

それから和食も、ユネスコ無形文化遺産になりましたよね。和食というのは、味を楽しむだけではなく、借景をも楽しみます。ふすまとか、茶器とか、いろいろな調度をととのえたところで、そこにある型を演じる。人間にとって本来的な欲求である食というものを、そのようにして楽しむのです。そこには、自然と人間の相互作用があります。四季の山菜が食卓に並び、それを話題にしながら四季の風景を庭に眺め、それを掛け軸で解説し、生け花で彩るというように、自然のなかにいるということがことさら強調されます。自然から離れて人間があるのではなくて、自然を取り込みながら、自然に取り込まれているというのが和食なのです。そういうものを、やっと西洋の人も理解し始めているのではないかと思います。それが、一九世紀とは違う新しいジャポニスムを生むのではないかという予感がするのです。

中沢　よくわかります。梅原猛さんの仕事や私の仕事も、それにつながることをやってきたなと感じます。私はかつて山極さんと同じ学問を志しましたが、その後山極さんは自然科学へ、私は人文科学へ進みました。しかしいままた二人は急速に接近し始めているような気がします。お互いがどこに向かおうとしているのかということが、この対談を重ねるうちに見えてきました。

それは山極さんが「第二のジャポニスム」と言ったこととも深い関連を持っていると思います。一九八〇年代に、私がヨーロッパへ何度も行っているとき、とくにフランスでは、日本のマンガが急速に普及し始めていました。翻訳もたくさん出ていたし、アニメ『うる星やつら』の放映が始まっていました。子どもたちは夢中でした。しかし、親たちにとってはこの文化は認められないものだったでしょうね。なにしろ『うる星やつら』では、畳の上でちゃぶ台を囲んでご飯を食べているのですよ。親たちにとってそれは本当にビザール（bizarre）＝奇妙なことなのだけれど、子どもたちにとってはそんなことはどうでもいいことです。「あぁ、これを突破口にヨーロッパの文化も変わってくるだろうな」とそのとき思いました。いまから振り返れば、実際にその通りになってしまって、ヨーロッパの若い世代にとって、マンガとアニメは日常食のようになりました。それが彼らの感覚と知覚を根本的に変え始めているというのは間違いがないと思います。

山極　コスプレがまさにそのひとつですね。そのキャラクターに「なりきる」。アジアでも大人気だし、ヨーロッパの若い男女もわざわざそのために日本に来たりします。

中沢　一つの文化として定着したと思います。なぜ彼らにとってそれほどの魅力があるのかということを考えてみると、それまでヨーロッパ文化のなかで抑圧されていたものの解放が進んでいる流れがあるからだと思います。たとえば教育やしつけを見てみると、昔の教育では言語構造がものすごく厳密で、語順通りに並べてなければ正しい文と言われないで、しかられました。それが子どもにプレッシャーを与えていました。ヨーロッパ文化は強制的な「重み」を子どもに要求していたのですが、それは無理な要求であったわけです。それに対して子どもたちは長いあいだ耐え難い抑圧感を抱えていた。そこに日本から来たマンガやアニメが、「そうじゃなくてもいいんだよ」ということを見せてしまったのだと思います。

大事なものは中間にある

山極　私は、そこに通底するのは「あいだの思想」なのではないかと思います。たとえば鳥獣戯画にしても、きわめて人間的な部分と、兎にしても猿にしてもきわめて動物的な部分が同居している。マンガというのはまさにそういう世界で、その世界に没入することもできるし、元の世界に戻ることもできる。これは日本人の感性だと思います。両方の世界を支える何かがある。たとえば里山だったり、縁側だったり、常にあちらとこちらをフィルターしてくれるものがあって、それこそが実は主体なのです。

環境省が「SATOYAMA〔里山〕イニシアティブ」というプロジェクトを外国に説明しようとして失敗しています。ここでは、保護すべき核地域と、人間が住む地域のあいだにバッファ・ゾーンがあって、それを里山と呼んでいるわけですが、それは違うと私は考えています。本当は里山のほうが「主」なのです。里山は、人間がそこで獣たちと出会える場所であり、人間が家の材料などをいろいろ持ち帰ったりできるところであって、獣たちもそこで人間と出会い、人間の所作を見て、人間がつくったものを食べ、人間に追い払われて自分たちの住処に帰る。ここが、われわれ日本人にとって「主」であって、人間の里というのはむしろ「従」なのですね。

ハレとケというのは接しているのではなくて、里山というところでつなぎ合わされています。たとえば家で言えば、縁側があって、門口があって、そこで人々が出会って話をします。そういう場所はヨーロッパにはありません。ヨーロッパでは、サロンやホールがあって、そこに人々が集まります。広場やパティオ〔中庭〕があって、そこに人々が座っている。しかし、明確に外と内とを分けて、そのどちらでもあるという空間はないのです。日本の昔の家屋には必ずそういう場所があって、そこでは型が演じられています。ここから入ったらこう、とか、こう振る舞ったらこう、というふうに。お茶席でも、必ず待合があって、そこで服を整え、刀を置いて、それから露地を通って茶室に入るわけです。そこにはいろいろな心構えや作法があります。日本の生活においては作法や型というものが非常に重要なので、作法や型を整えるための中間地点というものがあったのです。

中沢　それはヨーロッパの言葉に置き換えると、インターフェース〔interface〕ですね。二つの領域に接触している部分、接触面。それは二つの領域を薄い膜や細い橋でつないでいるという感覚なのですが、日本の場合はインターフェース自体が「主」になっているというご指摘は正しいと思います。保田與重郎が「日本の橋」という名文を書いています。保田は、日本の橋はヨーロッパの橋とは違うと言います。ヨーロッパでは、二つの世界が画然としてあって、そのあいだを頑丈な橋でつないでいる。ところが日本の橋というのはエッジとして無と有をつないでいる。向こう岸にたしかな有があるわけではない、と言うのです。橋を描いた日本の絵では、橋の向こう側がかすんでいるものが多いです。向こう側は人間の領域ではない世界で、そういう非人間の世界につながっていく通路が橋なのです。それは境界性そのものを「主」として立てている考え方です。日本の文化ではインターフェースを「主」として立てています。

里山も、人間と非人間が混在している場所で、向こう側から人間の世界に何かが立ち現れてくる通路でもあります。能の橋掛りというのがまさにそうです。非人間の世界、死者や獣の世界から、何かが人間の世界に現れてくる。能のなかで最も重要なことは橋掛りを渡っていくことであると言われているくらいです。そのような主体となった中間領域を渡っていくためにはたしかな「型」が必要です。

神のいる場所

山極　日本人のケの世界というのは、海と山に挟まれています。面白いのは、日本では海も、山も、神が住む世界です。キリスト教においては、海も、山も、悪魔の巣なのです。そして人間は神のいる天につながってしまう。日本人にとっては「奥」が神のいるところで、「奥」というのは海の向こう、山の彼方です。そこに至るあいだに境界性をもった場所がある。それを都市に移し替えたのが、神社やお寺です。そこでは天につながっていくわけではなく、「奥」へとつながっていく。だから社寺には森が必要で、池が必要で、そこで「見立て」が起こって、それがその土地でありながら同時に別の土地の風景にもなるわけです。砂が海で、石が水の流れだったりするように、別の風景を思い浮かべることができる。こういうものは西洋にはないですよね。それは、日本人の心性に、いま見ているものと別の場所をつなぐ領域があるからだと思います。それが、日本人の情緒ではないかと思います。それが生まれるためには、自然のなかに自分が包まれているのだという感覚がないといけない。自分が見ている現実が、そのまま対象物であるという二元論を、日本の精神性は持たなかったのです。

中沢 日本の神には、二つのタイプがあります。ひとつは、折口信夫が考えた「まれびと」で、それは向こうからやって来る神です。橋を越えて来たり、森の中から人間の世界に現れてきたりします。もうひとつは、柳田国男が考えた「祖霊」の考え方です。先祖霊は、人間の住む里の裏山に居ます。祖霊はだんだんと山へ昇っていき、長い時間をかけて浄化されていきます。そして子孫の生活が、幸福であるようにと温かく見守っている。それがもうひとつの神のかたちです。どうもこの二つの神の考え方が、日本人の中にはあるらしい。

「祖霊」のほうでは、先祖が子孫を見守り、子孫が先祖につながっていることで安寧を得ているという点で、人間が中心になっています。ところが「まれびと」の考え方は、人間中心的ではありません。外の世界からやってくるものが祖霊かというと、祖霊とも言い難い何かです。怖ろしい仮面を付け、じゃらじゃらとノイズ音を立てたり、藁で体を覆ったりしている。たとえば「なまはげ」です。なまはげは、子どもの教育のためにあえてあのように怖い格好をして現れている先祖霊だと言えないこともありませんが、一方で外の力を、子どもを介して村の中に入れているとも言うことができます。そうすると、祖霊とは違う力が働いていることになります。そのような複論理的なせめぎ合い、合体として日本の神はあるようです。

民俗学において、折口信夫と柳田国男が二つの神の考え方をはっきり出してくれたおかげで、日本人の神のかたちの複雑さが見えてきました。一方に山という高い地点から人間を見下ろしている神がいるし、もう一方に海や山という周縁につながっている場所、インターフェースを通ってやって来る何ものか、異形のものがいるわけです。

山極　私が面白いと思うのは、日本の神様は移動するということです。たとえば山岳信仰だと、山の神が田植えの時期に下りてくる。そして秋の収穫の時期になると山に帰ります。海の神が砂浜にやって来て、そのお迎えの行事があります。常に天にいてわれわれを見下ろしているのではなくて、どこかから来て姿を変えてどこかへ行ってしまう。そういう「旅をする神」です。

どうしてそれが生まれたのか。弥生という水田が広がっていた時代に変わったのか。私は、もともと日本の神は縄文から生まれたのだと思っています。というのは、神社はみな照葉樹林だからです。いまよく言われているのは、照葉樹林が日本から姿を消してしまったということです。しかし、クスやシイやカシといった照葉樹は神社には残っているのです。だから神は縄文由来だと思われる。縄文時代には水田がありませんから、神の領域というのは森のなかだったわけですね。人々は森の幸をもらって生きていた。ところが水田が広がると林は切り開かれていく。けれども神の住む場所は残されたわけです。東京にもいくつも森があります。皇居があり……。

中沢 明治神宮もありますね。明治神宮を設計した人々はちゃんとそのことを考えていました。古墳の植物相を勉強しているのです。応神陵や仁徳陵へ行って、植物相を研究して、それを神宮で再現しようとしています。

山極 そうだったのですね。そこが、神様との出会いの場所になります。沖縄にも御嶽(うたき)の場所というのがあって、必ずこんもりとした森なのです。

中沢 『アースダイバー 東京の聖地』では、東京には二つの聖地があると書きました。ひとつは海の領域とのインターフェースとしての築地市場です。築地文化がなぜあのような暗黙知の巨大な集積体になったのかといえば、それは海の領域とのインターフェースだったからです。海の領域から運ばれてきたものが、消費者のもとへ分配されていく中間地点に築地市場が形成されて、日本食に関わる重要な暗黙知が大挙してそこに集まってきました。それにもうひとつの聖地は、いま話題に上がった皇居と明治神宮です。東京のなかに残っているいわば古墳みたいなもので、わざわざそういう場所が残されている。大阪や堺へ行けば、そんなものはごろごろ残されているわけだし、京都にもそういう場所はいっぱいあるわけじゃないですか。そういうことを考えていくと、やはり聖地は自然とのインターフェースを考えないと見えてきません。

境界を越えていくこと

日本人と死後の世界

山極　私は、神社やお寺に行くことの意味は、仏像と出会うということだけではなくて、自然のなかに包まれてある自分というものを感じられるということだと思います。

中沢　寺は古い日本語だと「ティラ」と言ったみたいですね。それは古い沖縄語で墓地のことを指します。実際、お寺があるスポットを見てみると、だいたい渓谷地の奥であるとか、里山のエッジのところです。それは古墳時代に――あるいはすでに縄文時代にそうだったのかもしれないですが――埋葬地だったところです。そこに仏教寺院が作られました。死と関わりのない仏教寺院というものはありませんから。その近くに、それと対をなすように神社があります。日本の神社も、もともとは死と深いつながりがあるものだったと思います。いまの神道はどうしても死の概念を排除しますが、それはどうも平安時代から生まれたものであるようです。

山極　神社には二種類あって、それは「鎮魂」と「魂振り」です。半分以上は鎮魂です。つまり、呪いがかからないように、滅ぼした相手の魂を鎮めるといったことです。呪いというものが昔の人には一番恐いものでした。一方、魂振りというのは戦勝です。ヨーロッパの教会や、門や、都市は、すべて魂振りです。鎮魂なんてひとつもない。それは、戦いに明け暮れた文化だったからです。遺産というのは勝者の遺産であって、敗者の遺産というものはないのです。

中沢　それが先ほどの、主語の世界と述語の世界とも関わっていて、ヨーロッパでは述語の地位に落とされた累々たる敗者の屍の上に、主語となった勝利者が自分たちの歴史を語っていきます。勝利者の歴史は、どうしても主語の歴史になってしまいます。ところが日本人は、主語を取り囲んでいる環境に散らばったおびただしい敗者たち、述語となり主体性も奪われてしまった者たちのいる広い世界のほうに、世界の原動力を見ている傾向が強い。勝者だけがすべてではないという見方が非常に強いのではないかと思います。述語世界の闇の中に消えていった敗者に語らせるという文化は、古代からずっと重要な宗教的ジャンルであり芸術的ジャンルでした。

梅原猛さんが書いた柿本人麻呂に関する評論「水底の歌」を深いレベルで読んでいくと、人麻呂には死が深く結びついていたということがわかります。彼は挽歌を詠む歌人として著名でした。しかしそれだけではなく、人麻呂は奈良の三輪山の中腹あたりにある穴師（あなし）村の部族の出身だったのですが、この部族はお墓を扱っていたのです。穴師というのは、地下の鉱脈を探る人たちで、古墳の穴の築造にも関わっていました。その一族に柿本人麻呂が生まれた。当然、この一族は挽歌を詠んでいました。古墳の祭祀を長い期間にわたって行っているあいだに、挽歌というジャンルを確立していったのですね。梅原さんはそのへんのことを勘づいていました。死者や敗者の想いを語ろうとする日本人の心性というのはとても強いです。

山極　琵琶法師もそうですね。

中沢　そうですね。歌舞伎にも、義経千本桜や曽我物があります。能にも、よく旅の僧が出てきます、インターフェース制御者としての能力をもった旅人が旅していくと、述語的環境に消えていった人々が現れてきます。壇ノ浦で戦った平氏の武士が、いまは源氏の世の中になって歴史のなかから消えていったけれど、かつて自分はかくも勇ましく戦ったのだと語り出します。そして、語り終わるとふたたび死者の世界に帰っていく。日本の芸能文化は、こういう思考形態をものすごく発達させてきました。それは述語世界の論理と強く関わっています。

アニメの可能性

山極　私は「第二のジャポニスム」で、そのような思考形態が急速に浸透していくのではないかと思っています。たとえば村上春樹さんの小説が、どうして世界中でこれほど熱心に受け入れられるのかというと、現実世界を軽々と乗り越えてしまうからだと思います。あるいは異世界、平行世界があるとか。『羊をめぐる冒険』がまさにそうですが、人間と動物の境界も軽々と乗り越えられてしまいます。これはマンガも同じです。そうすることによって、自分という束縛から逃れることができるわけです。

インターネットの時代がそれを可能にしている側面もあります。したがって、とくに若い世代がこのような感覚に慣れてしまったと思います。少し観察すれば、そういうアイデアが飛び交っています。それをやりやすいのが、もともとそういう文化を持っていた日本であった。西洋世界では、自分という束縛から抜け出すためには、神の赦しを得なければなりませんでした。日本では、ハエに変身して噂話を聞きにいくという昔話もあるくらいです。

中沢　最近、インド人監督の映画にそういうものができました。これがまた面白いです。

山極　そうですか。アジアにもそういうストーリーが広くあるのかもしれませんね。ＩＴ社会では、疑似体験としてそれをつくり出すことも可能です。これが変な方向に、つまり西洋科学ベースで進んでしまうと、環境の客体化、人間の客体化のほうにいってしまうでしょう。けれども、日本やアジアのなかに色濃くある脱人間的な、自然のなかに人間があるという視点を使っていけば、人間の主体のなかに環境を入れ込むことができます。それをやっていかないと、人間も救われないのではないかと思います。

人間の機械化、たとえばナノロボットで人間をばらばらの部品にして治療しましょうというふうにすると、人間とロボットの合体や、ＡＩという知能を特化させて新しい人間を作ろうという発想になっていきます。これは人間を機械に近づけていくということです。人間の生身の身体や、科学では捉え切れない感性が無視されていく。本来自然というのは動く生物なので、一〇〇パーセントコントロールすることはできません。コントロールするためには生物を物質に変えなければならない。それが自然の工業化であり、家畜化であり、栽培植物化です。その流れを、日本の文化が持っている脱中心的な発想で、転換していかなければならないのではないかと私は考えています。

中沢 それは本当に重要なことです。いまハリウッドでそういう傾向を見せているのはアニメですね。ディズニー映画に『モアナと伝説の海』という、ポリネシアの神話をベースにした作品があります。もうひとつ『リメンバー・ミー』という、メキシコのフォークロアの世界をベースにした作品もあります。『モアナと伝説の海』では、制作者たちが現地に長く滞在して取材し、現地人スタッフを何人も入れて制作しています。『リメンバー・ミー』でもスタッフにメキシコ人が多く入っています。そして現地の人もそれらの映画を観ています。ところが、アメリカ国内だけでなく全世界で興行的に成功させるためには、ポリネシアの世界やメキシコの世界そのままでは駄目なのです。メキシコの世界観では、生者よりも死者のほうが上です。ポリネシアの場合ですと、自然、とくに海が重要視されます。しかしそれをアメリカ映画として成功させるためには、「人間の絆」というものを前面に出す必要があります。最終的には人間同士の関係に収斂させていくことになる。これが、いまのハリウッド中心の文化の限界です。ただ、脱中心的な発想に向かわなければならないことに彼らも気がついてはいるのだという気がしています。

山極　今西錦司さんがモデルにしたのはシートンです。今西さんは一九五四年に『日本動物記』を編纂しました。年代的に最初に刊行した巻が「高崎山のサル」〔第二巻〕でした。あとがきに、「われわれはシートニアンであり、シートンを目指している」ということが書かれています。これまでは領主や牧場主のような英雄しか名前をつけて呼ばなかった、しかしわれわれは名もなきものすべてに名前をつけて記録するのだと。これが科学なのだと。われわれは文学ではなく科学を求めると書かれています。ところが驚いたのは、私はシートンが大好きでいっぱい読んできたのですが、私と同じ世代のヨーロッパやアメリカの動物学者に訊いてみると、彼らの多くはシートンを読んでいないのです。シートンはとても評判が悪いのです。

中沢　なんとなくわかる気がします（笑）。

山極　シートンは文学者であって、しかも下手な文学者であると彼らは言うのです。児童文学だから馬鹿にされているのですね。科学者ではないということで。彼はボーイスカウトをつくったことでも有名なのですが、むしろそちらのほうが知られていました。だから少年少女の心をわくわくさせたということではないのです。一方、日本の少年少女はシートンを読むわけで、たとえば椋鳩十や戸川幸夫など、動物を描く児童文学作家が現れています。

ヨーロッパでは、とりわけ二〇世紀前半に、動物の擬人化を徹底的に排除する「科学」が席巻していました。これをワトソン流の行動主義と言います。動物の心を描いてはいけない、動物には心は無い、心を持っているのは、言葉を持ち意識を持っている人間だけである、ということです。だから、動物は単に刺激と反応だけで暮らしているのだと見られてきました。それが五〇年以上にわたって優勢でした。

面白いことに、科学の世界ではシートンは評価されなかったけれど、アニメの世界では評価されたのです。だから『バンビ』が生まれました。『バンビ』はもともとフェーリックス・ザルテンというオーストリア人が書いたのですが、その数年後に、ウォルト・ディズニーが採用して、アニメにしました（一九四二年）。これが大ヒットした。バンビは鹿でありながら、人間と同じ心を持ち、言葉をしゃべるという物語です。そういう動物文学が、アニメとして、映画界を支配し始めたわけです。一般の人たちは、動物にも心があり、痛みを感じ、喜怒哀楽があるのだということを感じ始めて、当時過激な動物保護運動が起こっています。一方、日本人は、動物に人間と同じ心があることを認めているわけではなく、ただ連続していると考えています。欧米では、人間と同じという発想だから、すぐに過激になってしまうのかもしれません。クジラやイルカといった哺乳類を、人間と同じ存在なのだと考える。日本人の自然観と似ているようで違うのです。

中沢　日本人は、違うものがあっていいという発想なのですよね。違うことを分かったうえで、その二つを結びつける。縁起の思想がまさにそうで、違うけれどつながっていて、底では同一のものが動いているという考え方です。

山極　欧米における動物の思想は、つねに人間のほうが上で、動物を救おうという発想になるわけです。日本の発想は、個々の命はあり方が違う、だけどつながっているというものです。彼らには彼らの命と生活がある。そういう意味ではユクスキュルに近いと言えるかもしれない。そういう命の網の目のなかに人間もいて、人間も数ある命のうちのひとつにすぎないという発想であって、決して救おうという話ではないのです。

中沢　いま改めて、アニメが非常に重要だと思います。私が好きな映画監督に、オーストラリアのジョージ・ミラーという人がいます。彼は『マッドマックス』をつくって成功したあとに『ベイブ』をつくりました。『ベイブ』は、牧羊豚になるブタが主人公の映画です。このなかでは、人間もブタも思考するのですが、ブタの喋る言葉を人間は理解することができません。それでもブタと人間がコミュニケーションをして、ベイブがとても賢い行動で人間を感動させます。そのあとミラーは『ハッピーフィート』という皇帝ペンギンの映画をつくりました。これも涙なしには観られない傑作なのですが、このなかでは、ペンギンたちが人間とは違う思考をしながら、自分たちの危機を乗り越えていきます。人間もときどき出てくるのですが、不気味な姿をした影のようなかたちで出てきます。南極に人間が現れて、魚をたくさん獲ってしまって、ペンギンの食料がなくなってしまうなど、災厄を引き起こす「エイリアン」と呼ばれたりします。南極のいろいろな生物が、それぞれの思考と考え方でひとつの宇宙を創っていく。『バンビ』から始まったアニメは、現代文化のなかで脱中心化に人をいざなう強力な武器になっています。

山極　西洋人がやったのは、意識を変えずに身体を変えたということだと思います。これが家畜です。なぜそれができたのかと言えば、動物が意識を持たないというふうに仮定したからです。繰り返しになりますが、意識というのは言葉によってつくられるものであるから、言葉を持たない動物は意識を持たないとされたのです。だから家畜のように、動物の身体を変えることができた。もし動物に意識があるのだということになると、身体を変えられなくなってしまいます。だからこそ動物保護思想は過激になるのです。

日本では、牧畜文化が育ちませんでした。動物を、意識と身体を同時に持つものとして、分離不可能なものとして捉えているわけです。だから、宮沢賢治の「なめとこ山の熊」のような動物文学が生まれます。動物は身体を変えることなく、人間と会話ができる存在です。必ずしも人間の言葉をしゃべるということではないのですが、お互いに分かり合うことができる。

人間は言葉を持つ前に、他の生物と語り合うことができました。しかし、言葉というのは物事を分類する能力ですから、それによって生物をモノにしてしまった、つまり生物の意識を消してしまったのです。しかしアニメという武器によって、いったんモノ化してしまった自然に生命を吹き込むことができるようになったのです。

華厳へと向かう筋道

岡潔と松尾芭蕉

中沢　私がレンマ学でやりたいのは、実証科学では扱われなかった動物のインテリジェンスの問題を取り上げ、インターフェースを主体に立てるレンマ的論理が可能であることを示すことです。

これまでの厳密科学でそこに近いところまでいった人は何人かいると思います。日本人では岡潔がその筆頭ではないかと思っています。岡潔の晩年の講演をこの頃まとめて読んでみたのですが、そのころ彼は光明主義という仏教の教えに深く入れ込んでいます。光明主義は仏教の瞑想法のグループなのですが、仏教がいう森羅万象が共鳴し合うという状態を脳のなかに再現しようとしていました。岡さんはそれを通して自分の仕事を見て、自分がやってきたのはこれだったのだと改めて仏教論理によって語り直すようになります。岡さんは、宇宙全体が共鳴し合って、反響し合い、変化していくというありかたそのものをベースにした数学をやろうとしてきました。岡さんの最大の功績は、「不定域イデアル」、すなわち「層」の理論だと言われています。層の理論をよく見てみると、岡さんの捉えていた宇宙観がはっきり表れています。岡さんは、自分の理論と、松尾芭蕉の「秋深し 隣は何を する人ぞ」という俳句がよく似ているとしばしば語っています。芭蕉も、いろいろなものがつながりながら、共鳴し合いながら、宇宙をつくっていく様子そのものを俳句に詠んでいます。「秋深し」、底なしに深い秋に、「隣は何を する人ぞ」とじっと耳を澄ましている。おそらく隣の人も、その隣の人に耳を澄ましているわけです。そういうふうに、人間同士が直接コミュニケーションをするわけではないのだけど、幽(かそけ)き響きを通じて局所的コミュニケーションをとりながら、大域につながっているということを芭蕉は言おうとしていて、それを数学の中で実現しようとすると、層の理論になると岡さんは考えています。

岡さんは、自分の論文が英語に訳されるときに、自分の考え方はおそらくヨーロッパ人にはわからないだろうと書いています。実際、岡さんの「不定域イデアル」の理論はすぐに合理化されて、「層」の理論につくり上げられ、それが一人歩きしていきました。本当はもっと違う宇宙観を背景にして生み出したものだったのですが、ヨーロッパ人はそれが新しい便利な数学の方法であるということに気がついて、それを合理化してしまうのです。岡さんからすれば、それは違うよと言いたかったと思います。岡さんは厳密数学を使いながら、「秋深し　隣は何を　する人ぞ」という東洋的な世界観を表現しているわけですから。

山極　似たような話ですが、しばしば「生きる意味」ということが言われます。今西さんの自然観だと、「生きる意味」なんてないでしょう。自然というのは意味を持たないですから。西洋的な、因果論的に人間の行為や自然の現象を読み解こうとする思考の結果、初めて「意味」というものが出てきます。いま多くの人が「生きる意味」が無いと困っているわけです。そんなものは探さないほうがいいと私は思います。いま中沢さんがおっしゃった「秋深し　隣は何を　する人ぞ」というのはまさに意味を消しているのですね。お互いに感じあって、みんなで共有し合うことの深さ、楽しさというものが、まさに生そのものであるということ。そこにはお互いに干渉しあわないけれど、お互いの存在を感じあえるような共存が語られています。

資本主義を変えていくもの

山極　いま若者たちのあいだで「シェアリング」が話題になっています。自動車も家も食事もシェアしようと。個人で所有しないということですね。資本主義の論理は私的所有であって、所有することで共有も生まれるということだったわけですが、もともと所有しない、家も建てない。所有によって自分を定義しないのです。結果的に、自分を定義するものは何かというと、他の生きものであったり、他の人とのつながりだったりする。結局はそこに行き着くのではないかと思います。

自分の行為の目的、たとえば自己実現とか、自己責任とかいうものに意味を見いだしていくと、それはいつもモノに結びついてしまいます。これまでずっと、人間は自分の持ち物によって評価されたがっていた。だから、豪華な家を建て、かっこいい車に乗り、かっこいい服を着ることに価値が置かれていました。しかし、そちらのほうがだんだん空しくなってきた。「スローライフ」と言われるのは、そこから逆方向に向かうモメントだと思うのです。その行き着く先に何があるかというと、共生や共存やシェアです。

中沢　だからある意味、世の中は華厳に向かいつつあるというのが私の実感です。先ほども申し上げた「事理無碍法界」です。インターネットのあり方も基本的にそうなっていると思います。資本主義を根本的に変えていくのは、革命ではなくて、そちらなのではないかと思います。

山極　現代はネットワーク上のつながりなので、線や面ではなくて、「点」なのです。優位性が生まれない、中心が生まれないというつながりが、いま現実に起こっていると思います。けれども、皆生身の身体を持っているわけで、自分というものを無理に出そうとすると炎上してしまう。あるいは関係をあえてつくろうとすると炎上してしまう。ネットワークというのは、情報交換をするにはとても良いのですが、過剰に踏み込もうとするとおかしくなってしまいます。

そこがこれからとても重要です。ようやく、しがらみのない「点」として、演技的な空間をネットワーク上ではつくることができたのですが、生身の身体をこれからどう扱っていくかが課題だと思います。

中沢　さて、長いあいだ対談をしてきたわけですが、山極さんは京都大学総長の任期をまっとうされたあとは、「華厳的進化」というのを大きな主題としてやっていくのだろうと私は勝手に想像しています（笑）。今西錦司の思想は、今後そちらに向かって展開していくべきですからね。今西錦司の自然学を「華厳的進化」という概念に練り上げていくのは、山極さんにしかできない仕事だと私は思います。

山極 ありがとうございます（笑）。考えてみたいと思います。今回は今西さんの話に終始しましたが、それは中沢さんのレンマ学にぴったり合うのが西田と今西の考えだったからです。実は今西さんの弟子で私の師である伊谷さんは今西さんの考え方から出発して家族起原論、そしてルソーの「人間不平等起原論」に挑んでいます。私の関心はそちらの方にもあります。いつかそういう話もしてみたいですね。

中沢 私のレンマ学の第二巻は「華厳的進化」にしようと思っていたのですが、自分の力だけではとても手に負えないと実感しています。これは山極さんと一緒にやらないと無理だとこの対談をとおして思いました。それをつくっていくために、本書の対談は重要だったのだと思いますね。実はそのための足場をお互い確かめていたという感じです。その意味でこれは記念碑的な対談になったのではないかなあ（笑）。

おわりに

山極寿一

私には、中沢さんとの対談に特別な思いがあった。それは中沢さんが文系から理系、さらに文系へと学問分野を渡り歩いて膨大な著作と刺激的な論考を出しつつも、私のやっている霊長類学に特別な関心があると聞いていたからだった。その関心は中沢さんの知的世界のどこに由来するのだろうか。そこをのぞき込んで、話をしたいと思っていた。

最近、その入り口が私の恩師の伊谷純一郎と日本霊長類学の始祖である今西錦司であり、霊媒となって案内役をするのが京都学派の代表的な哲学者である西田幾多郎であると気づいた。

京大生であれば、だれでも一度は西田の著書を手に取ったことがあるはずだ。『善の研究』とか『思索と体験』とか。でも最後まで読み通した人は少ないし、ましてやそれを理解できた人はほんのわずかだろう。私もすぐに放り出した。「絶対矛盾的自己同一」とか「個物的限定即一般的限定」とか「永遠の今」などと言われても何のことかわからない。これは私など無学の徒にはとても手に負える思想ではないと思った。

しかし、霊長類学を志すようになって今西の本をむさぼるように読み始めると、われわれが自然を一面的にしか見ていないことに気づかされた。たとえば、生物にとって空間と時間とは切り離せないものなのに、われわれは物事を空間的にとらえてしまう。近くにあるものは親密だし、遠くにあるものは疎遠に見える。でも、時間を入れれば、近くにあるものは離れるし、遠くにあるものも出会う。生物はいつも動いているのだ。細胞だって臓器だって常に新しく生まれ変わっているから、同じものがあるわけではない。でも、そこにわれわれは同じものがあり続けるように錯覚し、それを形として認識している。形というのは世界の動きを静止的にとらえた結果だ。だから、今西は構造即機能と言う。構造は空間的で機能は時間的であるからだ。彼はその概念を「すみわけ」という現象から導き出した。「すみわけ」は空間的な配置だけを問題にしているわけではないし、個体の配置だけではなく、種による生活形と環境の一体化を表している。だから、今西はそれを「環境の主体化、主体の環境化」と呼び、生物のそれぞれの個体も種も主体性をもっていると言ったのである。

その論理はとてもよくわかる。それは私のように、サルやゴリラなど人間以外の動物を対象に研究をしてきた者にはわかりやすい。言葉をしゃべらない動物たちと付き合うには、頭ではなく体で彼らの動きに同調する必要があるからだ。サルもゴリラも「動く」ことによって世界と主体的に付き合っており、その中に私自身も含まれているのである。でも、この今西の考えが西田の思想の影響を受けていることに、最近まで私は気が付かなかった。今西が西田の思想を全くと言っていいほど引用しなかったからである。晩年に近くなってから、今西は西田の著作を熱心に読んだことを告白し、調べてみるとたしかに西田も「空間即時間、時間即空間」と言い、「行為的直観」なるものが生命の本質であると述べている。そうか、霊長類学の世界から西田の著作を紐解くとその深淵を理解できるかもしれないと思ったのである。

さらに、最近になって今西の思想を批判的に再認識しようとするオーギュスタン・ベルクという哲学・地理学者が現れた。二〇一八年のコスモス国際賞を受賞したことで脚光を浴び始めた彼が、授賞式で西洋近代の古典的パラダイムが行き詰まりに達しており、二元論や排中律に基づく近代科学の考え方を再考すべきと述べたことがとても印象に残った。早速、京都大学にベルク博士を呼んで講演をしてもらい、私も今西自然学について博士と対談をした。彼は和辻哲郎の『風土――人間学的考察』に深い感銘を受けて「風土学」を提唱し、具体的な風土の現実は、完全に客観的でもなく、また完全に主観的でもなく、通態的であると捉える。そこにはフォン・ユクスキュルの「環世界」、今西の「自然学」、そして西田哲学の「述語的世界観」が織り込まれている。

ベルク博士の論考の中に、テトラレンマという概念の再考を促す文章があった。これはナーガールジュナ（竜樹）の四段論法として知られる大乗仏教の中心思想であり、西田哲学とは違う道を模索した京都大学の哲学者山内得立の挑んだ世界観である。AはAである、Aは非Aである、Aはどちらでもある、Aはどちらでもない、という命題で、西洋哲学は前二者の論理から成り立っている。ジレンマとは、ある問題に対して二つの選択肢があって、どちらを選ぶか態度を決めかねる状態のことを言う。でも、どちらでもある、どちらでもない、という考え方が容中律なのである。つまり、西洋哲学には是か非しかないが、東洋哲学にはその間がある。その考え方は、日本の風景に実際に表現されている。例えば、里山や海岸は神々の住むハレ（山、海）と人々の居住するケ（里）が共存する場所で、そこには鳥居が立てられる。神々を先導するのはサルと亀で、彼ら動物は人間に変身可能な存在でもある。そこには西洋の思想、すなわち人間は神から選ばれた存在であり、自然とは切り離され、自然を客観視できるという考え方とは違う世界観がある。

最近、中沢さんは「レンマ学」を提唱し始めた。レンマの思想に則れば、現代の科学が抱えている問題を解決できるのではないか、という予測に基づいている。この考えに私は深く共鳴する。実は三年前に『サピエンス全史』を出して一躍世界の寵児となり、日本でもビジネス書大賞を受賞したイスラエル人の歴史学者ユヴァル・ノア・ハラリは、最近実に興味深い結論に達している。人間は言語の発明による認知革命によって、世界が未知のことに満ちていることを知り、信用という通貨を基に経済を発達させ、科学技術と手を組んだ資本主義という最大の宗教を手に入れた。続編の『ホモ・デウス』で、人間は二〇世紀までにこれまでの最大の課題だった飢餓、病気、戦争を克服する手段を手に入れたと言う。そして、人間がこれから追い求めるのは、不死、神の手、幸福だと予測している。情報技術と遺伝子編集技術の発達によって、地球上の生物はすでに人工的に改変され始めており、いずれは不死の身体を手に入れることも可能になる。しかし、それは人間に大きな格差を生み出し、一部の人間が他の多くを支配するディストピアを招く結果になるかもしれない。近刊の『21 Lessons』でハラリは、それを回避するために人間性の回復と幸福の追求が今こそ必要と考え、その手掛かりはマインドフルネス（瞑想）にあるというのである。心は脳と違う。脳の生化学的な働きや電気的な活動は解明できるが、それらが心とどう結びつき、主観を形成しているのかは全くわからない。確かに、私がアフリカの山奥で野生のゴリラと抱き合ってうとうとしたときの幸福感や、ゴリラに飛びかかられて頭と足に深手を負ったときの衝撃は、私の身体に深く埋め込まれており、それを正確に他者に伝えることはできない。私たちが直接経験できるのは自分自身の心だけであり、それは瞑想という実践によってより深く理解できるようになる。まさにそれは、自然のあるがままの働きに身を任せ、縁起を想起することにつながる。

今年の六月に、パリでフランスの高等研究院、京都大学、総合地球環境学研究所の共催によるシンポジウムが三日間にわたって開かれた。タイトルは「自然は考えるか？」で、約二〇名の研究者が人間と自然との関係性、生命や環境のつながりについて学際的に議論した。初日にベルク博士が「風土学」について、最終日に私が「自然学の窓としての日本哲学と霊長類学」と題する講演を行った。人間にとっての風土は生物にとっての環世界であり、多くの研究者が生物の主体性を認め始めている。つまり、「自然は考える」と見なしているのだ。

アリストテレスが知を愛することを唱えて二〇〇〇年が過ぎた。その知は人間の視点から世界を解釈し直し、社会の組織を変え、産業革命を起こし、情報革命へと至り、ついに脳のアルゴリズムを外に出して知性を外部化することに成功した。しかし、その過程で人間以外の生物と地球環境は利用しつくされ、いまや崩壊の危機に瀕している。それを救うには、今一度人間と他の生物や物理的な環境を包摂的に捉える観点に立たねばならない。生物も環境も互いにつながり合って循環する共生圏を作っているという考え方である。私たち人間の身体も心も進化の過程でそれを十分理解しているはずである。本書がその了解点にたどりつく一助となれば幸いである。

中沢新一（なかざわ・しんいち）
1950年山梨県生まれ。人類学者。明治大学野生の科学研究所所長。東京大学大学院人文科学研究科修士課程修了。著書に『チベットのモーツァルト』、『雪片曲線論』、『森のバロック』、『カイエ・ソバージュ』シリーズ、『アースダイバー』シリーズ、『野生の科学』、『レンマ学』ほか多数。

山極寿一（やまぎわ・じゅいち）
1952年東京都生まれ。霊長類学・人類学者。京都大学総長。京都大学大学院理学研究科博士後期課程単位取得退学。理学博士。著書に『ゴリラ』、『暴力はどこからきたか』、『家族進化論』、『「サル化」する人間社会』、『ゴリラからの警告「人間社会、ここがおかしい」』ほか多数。

未来のルーシー
人間は動物にも植物にもなれる

2020年3月15日　第1刷発行
2021年3月25日　第3刷発行

著者――中沢新一＋山極寿一

発行人――清水一人
発行所――青土社
〒101-0051　東京都千代田区神田神保町1-29　市瀬ビル
［電話］03-3291-9831（編集）　03-3294-7829（営業）
［振替］00190-7-192955

印刷・製本――双文社印刷

装幀――水戸部功

ISBN978-4-7917-7252-0 C0010